U0961245

国家出版基金项目
NATIONAL PUBLICATION FOUNDATION

《三联经典文库》

第二辑

2012年国家出版基金项目

《三联经典文库》编辑委员会名单

学术顾问：吴敬琏　金冲及

编委会主任：樊希安

编委会副主任：李　昕　潘振平　翟德芳　常绍民　张作珍

编委会成员（按姓氏笔画）：

王忠义　尹昌龙　石晓光

卢　岳　叶　彤　田文生

曲柏龙　朱利国　刘　强

刘　靖　孙　漩　李　昕

李　峰　李永臻　李国庆

李学军　李湛军　吴文胜

张　荷　张作珍　陆　皎

林疆燕　罗　勇　周　斌

郑　勇　郝大超　袁淑芹

唐思东　涂　华　曹永平

彭　云　舒　炜　詹那达

蔡立国　翟德芳

樊希安　潘振平

三联经典文库

113

淞沪火线上

胡兰畦　等著

生活·讀書·新知 三联书店

Chinese Copyright © 2014 by SDX Joint Publishing Company.All Right Reserved.
本作品中文版权由生活·读书·新知三联书店所有。未经许可，不得翻印。

图书在版编目(CIP)数据

淞沪火线上 / 胡兰畦等著. -- 北京：生活·读书
·新知三联书店，2014.1
（三联经典文库第二辑）
ISBN 978-7-108-04587-4

Ⅰ.①淞… Ⅱ.①胡… Ⅲ.①通讯－作品集－中国－现代 Ⅳ.①I253

中国版本图书馆CIP数据核字(2013)第152260号

113 淞沪火线上

责任编辑	卢　莹
封扉设计	蔡立国
责任印制	徐　方
出版发行	生活·讀書·新知 三联书店 (北京市东城区美术馆东街22号)
邮　　编	100010
经　　销	新华书店
印　　刷	北京市松源印刷有限公司
版　　次	2014年1月北京第1版　2014年1月北京第1次印刷
开　　本	787毫米×1092毫米 1/32　印张 4.25
字　　数	56千字
定　　价	16.00元

《三联经典文库》出版缘起

适逢生活·读书·新知三联书店八十华诞，为弘扬传统，接续文脉，回报读者，服务社会，我们决定策划出版《三联经典文库》。

1932年7月，生活书店在上海创办，此后，读书出版社和新知书店相继成立。本文库第一辑、第二辑所选图书，来自于这三家出版单位及其分支机构，以及1948年生活·读书·新知三联书店成立后的出版物，始于1932年，截至1951年，两辑各一百种。此为第二辑，涉及政治、经济、社会、军事、思想文化诸领域，涵盖专著、文集、散文、小说、诗歌、传记、报道等体裁，既有直面现实、追求真理、讴歌真善美、抨击假恶丑的原创作品，又有引介世界各国先进文化、传播新知、开启民智的迻译之作，真实记录了那一代知识分子的思考与探索、理想与愿景和对中华民族文化传承与创新所做出的努力与贡献。

本文库所辑入各书，多为名家名作，在版本方面，以初版一印本或经著译编者审定、修订、增订过的版本为首选，因此本文库又具有较为珍贵的版本价值和收藏价值。

本文库还将编选续辑，使之成为恢弘文化工程。诚挚希望读者给予批评和指正，帮助我们完善编选工作，再现三联经典作品之风采。殊为遗憾的是，由于年代久远，一些原著译编者及其后人未能取得联系并奉付稿酬，诚盼版权所有者与我们联系。祈愿三联前辈所创造的精神财富能薪火相传，为中华文化的伟大复兴增光添彩。

《三联经典文库》编辑委员会

2013 年 8 月

凡 例

一、本文库为重排本，由繁体字竖排版改为简体字横排版。

一、以忠实于原作、整旧如旧为编辑原则，对当时使用的专有名词、外文译名，以及民国时期的语言和特色予以保留。

一、原书注释如旧，编者所出的注释，均以“编者注”标明，以示与原书注释的区别。

一、对原书残缺或字迹漫漶之处，以□示代。

一、对繁简文本转换时的“如右”、“见左”一类，对应改为“如上（前）”、“见下（后）”。

一、对原书中各种错讹脱衍之处，直接订正，不再以其他符号标示。

一、对数字、标点符号的用法，在不损害原文语义的情况下，做必要的规范。

一、本文库各书均前插原书书影、原书版权页和文库版“本书出版说明”。

一、本书出版说明的撰写，以客观中立为原则，扼要介绍本书的内容、版本流转、著译编者的情况。

本书出版说明

淞沪会战是 1937 年 8 月 13 日起中国军队抗击侵华日军进攻上海的战役，为中国抗日战争中第一场重要战役，也是抗日战争中规模最大、战斗最惨烈的战役，前后共历时 3 个月，至 1937 年 11 月 12 日上海沦陷结束。本书汇集有关淞沪会战的十篇文章而成。文章作者有些是战斗在最前线的官兵，有些是亲历战火的战地记者或服务团成员，他们都以自己最真切的感受描述了日本侵略者对我民众的残暴、战斗的惨烈，亲眼目睹了遭受战火后上海的断壁残垣；同时用浓重的笔墨讴歌了我军将士血战到底的豪迈气概、后方民众对抗战的鼎力支持。每篇文章都表达出了这样的愿望：中国民众没有丧失抗战的信心，为了争取国家、民族的独立，每个人都会带着一颗比钢铁还要坚强的决心，一定要把日本帝国主义永远逐出上海，逐出中国！

本书作为“抗战中的中国”丛刊之二，于1938年2月初版。本次出版，即以初版为底本。

胡兰畦（1901-1994），四川成都人。1925年大革命时期活跃在广州。后追随国民党左派何香凝，曾在德国投入国际共产主义运动，后被纳粹逮捕入狱，写出了有影响的《在德国女牢中》一书。1934年，作为中国作家代表出席苏联第一次作家代表大会，高尔基赞其“是一个真正的人”，高尔基去世时被选入高尔基治丧委员会，曾为高尔基执绋。1936年底回国，利用国民党少将身份，暗中为共产党做了许多事情，但其共产党员资格却被地下组织因种种原因取缔。1949年后，被安排在北京工业学院从事后勤工作，在历次政治运动中受尽冤屈。1978年平反后，恢复党籍，并成为全国政协委员，晚年写出《胡兰畦回忆录》。

生活·读书·新知三联书店

2013年8月

生活书店 1938 年 2 月初版书影

“抗戰中的中國”叢刊之二

淞滬火綫上

每冊實價國幣叁角
外埠酌加寄費

著者　胡蘭畦等
主編者　長江
發行者　生活書店
漢口　上海　廣州　重慶
西安　長沙　梧州　成都

版權所有　不准翻印

中華民國二十七年二月初版

原书版权页

目次

铁与血的斗争

蔡以中

我怀了一腔更燃烧，更沸腾的热情重来到离别已经五年多的上海。

五年前，在庙行与敌兵白刃战时所受的创痕，还深留在我的左腿，五年来，我们民族所受的耻辱与欺凌，加添了我们无限的愤怒，同时给了我们无限的鼓励。

傍午，我们下了车，在出发到上海的附郊一个小镇去的道上，我们远远望见“一·二八”的遗迹，那断垣，那残壁，我们还看见了两路管理局新建的大厦岸然矗立在云霄。一阵温煦的海风扑着我们每个弟兄的黝黑的脸，我仿佛在风中听到一种声音，那声音该是带着欢喜又带着疑惧的欢迎的呼声吧？我不禁在心里响了回音：“别警惧吧！你们这次虽也许还要经历过一次磨难，然而请你们放心，因为我们每个人都带着一颗比钢铁还要坚强的决心，一定把日本帝国主义永远逐出上海！”

*　　　*　　　*

弟兄们虽都在埋怨时间走得太慢，因为，在夜神一到来，敌人定会到我们阵地来挑衅的，到那时候，几十年来郁积在胸口的愤怒与苦闷是得到一个尽情发泄的机会了。

可是，夜到来了，我们望着那半钩残月徐徐升起，九时，十时……一时，二时过去了，我们又望着那半钩残月在徐徐西落，弟兄们都显得异常焦急。虽然敌兵的阵地，我们看得很清楚，可是我们始终服从着“人不犯我，我不犯人”的命令的，弟兄们都在低低地咕噜着：“东洋兵不敢作声了吧？”

到三时多，保安队一排在宝山路附近巡逻着，我们的队伍即时离保安队相隔二三百米，一小队日本兵从他们的沙袋后面跳了出来，拦住了保安队的去路，一个日本的队长操着不纯熟的中国国语问：

“你们中国军队干么？是不是想包围我们日本军队，是不是想攻击我们？”

"中国军队从来不想攻击别国军队的，中国军队只是为保卫自己国家的领土而守卫着。你们不是没有理由的要保安队撤退上海吗？这已经是办不到了，因为保安队所驻守的是咱们中国的领土！"这是一队保安队队长的回答。

他们露出非常不愉快的脸色走进了他们的沙袋后面去，就在保安队开始走不上几步路的时候，他们就向保安队射击了。

我们弟兄一听到枪声，立刻冲上去，向他们回击，可是，我们的枪声一响，他们的枪声却就停止了。

*　　　*　　　*

傍晚，我们在江湾路附近。

我们奉命进攻八字桥，可是青云桥给敌兵在事先炸断了，我们只能绕路走。

敌人在每个路口严密地布置着，机关枪、坦克车，这一切向着我们行进的队伍扫射。

我们开始找到了敌方机关枪的所在地，轻轻地和三个弟兄，带了一架机关枪，伏在草地上慢慢爬过去，到离开敌方约六十米的地方，我们就开始向着敌方的机关枪阵地扫射过去。

不一会，他们的机关枪响了两下，就不作声了，我那时的快活真是怎么也形容不出来，我几乎兴奋得跳了起来，后面的弟兄这时也紧紧地冲了上来，虽然后来在敌兵的另一阵地里依旧发出了密密的枪弹，虽然在我们身边爆发了密密的炮弹，可是凭了弟兄们一声怒吼，我们终于冲上了八字桥！

英勇的铁鸟

次　霄

花边白影中的闲情

一束剪秋罗在迎我的面，每当我不甚觉到疲倦的时候，这瓶放在我床边的美丽的花，便映到我眼上来。我也暂时感到疲乏了，于是这束花便成为安慰我的对象。

我像做了一个甜蜜的梦，昨日在深不可测的高空活动，今日却落在这离地面不过一尺来高的床上。要是不曾想起创伤的时候，我不觉失笑了。此刻，我的周围完全是白色的；除药物以外，从覆在我身体上的被褥，到天花板，给我一眼是纯洁的印象，这种环境会使人发生高雅的感觉，又清静得使人寂寞；所谓和平，似乎就在这里，我们想要呼吸到和平的空气，也只有这里的事实可以形容和平这种理想。

学园时代的风趣浓

可是我是活动惯了的人，对于这种静止的白色反而不安起来。虽然，天空中也是白色的，但那是流动的，奇异的透明底云层。显然地，和我目前的情状，意味是两样的。每当我的机身穿过那卷积云的时候，分有次序的浓淡底云层，像在剥果皮似的，被我的勇气退在辽远的后面，这样，我便感到一种神秘的愉快。我之所以欢喜驾驶飞机，也就因为我这种性情和幻想养成的，不妨说，正是这种关系，而决定了我现在的身份。

我的学习航空从开始到如今，年代该是和航空教育同样长短的，这就是说，中国一有航空学校，便有了我这个学徒。但我自踏出校门后，生活并没有多大变化，不过驾驶飞机比较读讲义的机会多了，到这期间，我可以把大部分时间放在驾驶上面，除自由地稍涉及理论外，给我却学了不少的花样——各种特别的飞行技术运动，如基本的 Tail Spin Zoom，Side Slip Nose Dive 等运动，我可以随自己的趣味，调换的飞行。虽然，偶有时候，机上附加了各种武器，作为作战的姿势出现，但这只能算为一种难得的练习，而绝没有机会，使我有增多作战的经验。不过，我总希望能有这种时机的来到，每当时局紧张的日子，我就非常兴奋的，我往往暗下去抚摩我常用的那只飞机的驾驶盘，默祝它立刻升腾起来，表现抑郁在我胸口那种愤懑后面的能力。可是我的志愿像传染了寒热病似的，随着时局在升退；想从实地作战上得些经验，以为学校教育不足的补助，结果仍是失望，还是一个飞行家质地的，腾云驾雾的游历者；也许在地面上看见我们的朋友，羡慕我有一表仙气的逍遥，其实这正是我的苦闷！

时机到来之前一夜

终竟给我期待到了，这是两周前的一个清朗的早晨，我将要作第二回腾空的时候，我的左足正跨到踏板上，出乎意料的接到本队传告的准备出战底密令。在这一忽间，我感动得眼边滴出泪水来了，有如困龙跃出了泥沼，我像是已经升飞了，而不知道身体离开了机身。这时，该不只我一个人有这样兴奋，我敢承认，凡是我的伙伴都有这样情形。

我是属于最老的一队，因为历史的关系，所以被伙伴们称为阿米巴队。但并非全队是资格老的，却是在“一分队”这个单位中有一个是新的伙伴，但在系统上我们要算第 × 队了。应该这些没有多大关系，至少在作战能力方面，根本我们从未实际地“机对机”的搭挡过，即是我们长官，也不便定出谁强谁弱的成见来。

于是在这回战争发动的时候，首先便被派到我们这阿米巴队上来了。这好像一种传统的成规，即是，不可免的表示当“以老为先”的厚意。自然，我们对于这种厚意是一致欢受的，那怕是自不量力，不幸的事稳定会落头上的，这都因了甘心的怂恿，似乎无暇顾及了。

领空上的处女战争

在我们起飞的时候，表针正指十点三十五分，当我在扳发动机之前，仰首看见顶上一片飞快的层积云走过，转眼我的同队的一个结实底伙伴先我升腾了，不觉起了竞赛的心理，我深深地吸了一口气，似很能清醒人，想是机底的那些丰润的草原的隐味；不过我稍旋动手里的驾驶盘，那在遥望中的无边底绿野便失在我老远的背后了。

我所用的机，是一架陆上侦察机，此次我出使的任务是侦察敌方兵舰分布的地位。平时，闻说日本军在这方面的射击力是很可忌虑的，为防卫万一起见，也便带了一颗轻炸弹。我想，即是不遇到被射击的场合，我亦当留给他们一个礼物，无疑的这种观念是不正确的，除非敌人疏忽了，事实上决不会。果然给我的好意所蒙蔽了，当我的机身距水面还不到七百尺的时候，就像急不过来似的由舰里对我这边射出八九发强烈的钢炮。虽然这是我初回的际遇，但我心里并不慌张，不过比较机警一点，而仍然在黄浦江上飞行。那知道泊在江中敌方的舰，全都响应起来，立刻把静静的江面弄得乌烟瘴气。可是我还就不走，在目的未了然以前，偏要降低些，距一只舰顶仅有五六尺，等不到他们开炮，我已经转了方向，则来一个倒冲，再掠过一只可以看明敌人鼻目的巡洋舰，然后我才高速的攒升。可惜那两只经我访问的战舰所发出两尊回敬我的炮，却意外的落空了，反而，在匆忙中给我投下一颗轻炸弹。当时不知道投中没有，我已经升到一千尺以上的天空了，这是几百年来被屈辱的中国第一次底吼声！我脱去那炸弹的一刻，我就觉到这是我自出母胎以来，从未有过的快感，当弹落机身减轻之际，似乎就是我的责任也减轻了许多。

这样以后，机身便似受了我畅快的心境的感应，于是在万重的云间飘逸起来，非常得意。在我穿着浓云的时候，就像小孩子和家猫戏嬉，常作急转弯，回避它，或作翻内圈的动作，给它一个逗笑的包围。当我从高空投向机场的一段历程中，突然感到一阵寒流经我的身边，同时机身微感不安。待我进休息室的时候，从窗内看出，天空泛起了无数黑的雨云来，而且那可亲的蔚蓝的天色也便被掩蚀了。

真理从炮火中探求

在我还未进完午餐，就接得紧急命令，我即半席离去。我赶忙穿好航行服，登上那架给我们预备好的单发机的轰炸机，早有两人进去。我们各别的行了一次注目礼，接着一个隐然的微笑，当我们赴战之前，这样确可以团结我们的心。

这回，我们热络得多，同行的共有一大队九架机，内中除和我们同样性质的七架机，此外一架是双发机轰炸机，一架是高速度轰炸机。我们夹杂起来，三架一列的有程序的成为三排，我这一架的位次正在第三列第二排中，当腾空一千五百尺的时候，我们还是结队而飞。待到将要降落之际，首先那架高速度轰炸机离队了，接着我背后的一架和左边的一架又离队。当我们横过距防卫司令 25KM 的地带，我们便受指挥的命令分散开了。当我们这架机折向东去的一刻，则可以隐约的听到轰炸的声音，想必这就是先我们到的高速度轰炸机的成绩。自第一次轰炸响了以后，却便连续接下去，这时全队在动员了，我们在偶然间会到那架双发机轰炸机，这回可响啦，想是投下三百公斤 TNT 的地雷炸弹，其爆力真是震天动地。

我们这一架就趁这个机会接连投了两颗弹下去，该是敌舰对这突来的袭击确起惶恐，乱发高射炮，不知技术不高明，还是因过分慌张，总打不中我们。有一弹本来可以击中我们的踏棒的，那就完了，可是并没有，却穿翼柱间过去，这不过是我们侧滑一下的关系，竟给我们脱了险境。

轰炸和射击交错的猛斗之中，我们又向一只近泊岸边的巨型兵舰投弹，这就是今天必须以顽强的斗力解决的敌方司令舰——出云号。我们预备击中它的要害，便低低地滑飞下去，再向它投落一弹，同时它则用机关枪扫射。可是结果，我们的机身负了伤，机翼被破坏了一部分。正在我们抽身脱险的时候，由激浪中瞥见我们另一架机受了重伤，几乎要跌落江里，但勇敢的伙伴还挣扎着，毕竟突破了重围，我们这两架同患难的单发机相偕的飞出市区以外。

这民族解放底肥料

出乎我们意料之外的，正在我避开一支袭来的空气的大压力，预备侧滚的一刹间，忽传来一声沉重的呻吟；当下，我还以为是机翼漏发出来的颤音，那知道原来是我们的伙伴，因受重创过度，临终的惨语！可惜我没有留意到，只见他的血染满了一身，大概是给凶暴的炮全部炸裂了。我觉察他的胸口还在跳动，为了存心救回这个垂死的伙伴，同时想可能的保持他的体温，便向低飞行，放足已不能再放回的四百五十匹马力。虽然这时我的左手也被击伤，感到痛楚和困难，但还勉强支持，每在我用力挨那驾驶盘的时候，血便沿着腕臂流。要是比起那重伤的伙伴，我这点却不算什么了。我嘱咐另一个伙伴留意他，他很伤心的告诉我，说连衣服都掩不住他淌着的血。我回头看他的血像突泉似的在喷流，再受机身的振动，血已经湿透了他的座位，且直向大地上滴。这是我们贫弱的民族的肥料啊！他在等候他的血流完，现在面色已是惨白，眼眶也深陷了进去，可是他的眼睛却很镇定的，不时还对我们浮出超然的笑，这是伟大的战士底精神。

“朋友请忍耐，只有三分钟，你就可以进医院了。”

我想不出更好的话，因一时间的感情涌上喉边，便这样安慰他。

“不要紧，你们顾自己的事。”

说完，他便把创伤最大的头部埋向衣袖间。似有意遮避这引人着目的地方，不让我们分心他。

于是我的眼边润湿了，正在艰苦的民族战展开的时候，如果半途中失去我们这样有力的战斗员，这损失实在太大了。我感到视觉迟钝起来，现在前面是一团模糊。

轰！

又是敌人发来的高射炮，幸我发生急智，连避了几响，只见黑烟蒙着机的边缘。加以天阴，风又大，我们好像在黑暗中探摸。当我想到背后这可怜的伙伴时，我便勉强忘却自己那破的手，咬紧牙齿，鼓起残余的潜力，找我们的归宿地。闪粲我神采的目光有如饿鹰在搜索食物的光景，向无限的，飘渺的空间，冲，冲，冲出我们恐怖的死境。

正是要受伤了以后

傍晚时分，我想调节筋力，向枣色的小屋后方，沿着机场边缘散步，足踩在柔软的草上，精神很觉舒适。我那受创的手，已经过一次药水的消洗，且扎好了绷带，固然不免感到痛，但我没有报告上峰，借此机会休息。我更要振作起来，我身上的血不能白流的，即使是一滴血，也不该背着敌人流。我边走边感兴奋，虽是血渗到绷布外面。残阳的余辉从乱杂的云片后面漏下来，映到远方的山岗，这样的美景，对于一个劳倦后的人，确是非常安慰的。大概走了一百五十米远，将要转弯，却遥见西角有个人在招呼我，立刻我变了快步，向那被风飘动的白色底信号奔去。

我还未踏进办公室，知道又要出发了。队长眼睛似乎在注意我那受伤的手，却踌躇了一会，说：

“不便？那就不必出去。”

但我已会意到，我便掩饰去这“不必”的理由，故意伸出那只受伤的手，而且近他的面，张开不自然的手掌，活动给他看，证实我毫未失却作战的能力。

“这不过弹片擦破一点儿皮层，没有关系。”

我说，表示愿去出力。得队长命令后我方知道我们一架机被敌方包围袭击，正在万急中。于是，我便径向停在东南角的那架单座战斗机奔去，这时勤务已加上了油，我打开机门，一跃而上，运用非常的高上升力飞行，在狂风中，迈进，直达八千尺高度，然后再向目的地插落。一霎眼，这幅顽强的斗争场面，便呈现在我机前不远的地方，见二架敌机，在追逐我们这架机，正是迫不得已间。但我并不茫然上去救护，则据我途中决定的战略，朝向它侧方飞行，想在他们注意力集中于我们那一架机上的时候，出其不测而痛击之。于是我以神速的运行，来一次翻外圈。

一段传奇似的插话

正在这其间，想是子弹已完，陡然的我们那一架机凌空上升，这是出于敌机意料以外的，当然，敌机不肯放松它的，那二架敌机便同时而且同速率的斜升上去，恰好在我们那机出头不远的底下，敌机便作为画一个九十度三角尖向记点描去似的，连同我们那架机互撞了，立刻遭受很大的损坏，都飘摇的跌下去。谁知道，我们那位智勇的伙伴，早已乘飞行伞安全的降到地面，以一架已不能脱险的机，陪葬两架敌机和两个飞行员，究竟是上算的。这是空战的奇观，要不是侧身于战围中，决计看不到的。这种非常的战术，是我们绝好的经验中的教育；可惜到此刻我还没有调查出是我们那个伙伴。

一场好诡秘的格斗

话得说回来，看了这场恶战已结束，当我起折回的念头，不料遇到一架自己的机，默测它似很仓忙，待不到我们接近，不知几时来了一架敌机，盘旋于我们顶上，有似监视我们的行动。我们不约的立刻远离，我一急转弯，预备占它的上风。说时慢，那时快，他已经发动了机关枪，当然我不肯相让，就用侧冲，同时扳了联动器（gear），立即子弹由螺旋桨旋扶圈间发出，也许我的雄心使我占了攻势。那知它佯逃，或对我什么不利，我向四周警惕着。果然它向我投来一颗烧夷弹，幸我未追上去，得免机身燃烧。在我退一著后，我便紧随着它，眼睛注视照准器（sight）发出的子弹和我的行动一致的，结果迫得敌机走头无路。在我偶一侧眼间，望见我那战友在和另外一架敌机抵抗，两相战力均等。再自西北角，悄然地飞来了两架敌机，不一刻，却一在我左侧上方，一在我后边下方，高高低低，一共有五架飞机会合着。看到了这情形，我便暂时放弃那被我追逐的敌机，转向与新来的两架周旋，因为飞行不久的关系，显然看出它们的强烈的活动。虽然现在已被敌机重重包围，但我要生存，决定施出我未有的战斗术：万一有什么意外，我也得予对方一个大的损失。

于是，我便展开仅有的慧力，心地很沉着而且很机敏的，突向阻击我最力的两架敌机间侧滚出来，乘便就将正和我伙伴在斗逐的那架给逃跑的敌机，一次迫近的扫射；恐怕它的斗力不强，已是疲倦，只经我们一夹攻，就负创伤逸去了。但还有两架，怎么也不放松我，合力对我射击，一时便陷于混战状态中。约经过五分钟的恶斗，我的那个唯一的伙伴，因受重创飞走了。现在只剩下我一个，在应战两架颇强悍的敌机。已到这样，我惟有信赖自己坚定的意志，和非常的毅力来对付险境。

生命寄在 bead sight 上

我忍着一身创伤的痛楚，目光注射那准星，即 bead

sight，或是那被风狂吹着的风标，以为刹时分减痛楚的对象。或上或下的敌机，子弹像是暴雨似的向我打来，我以自卫起见，用尽我行驶的技能来回避它们的袭击。我感觉到全身已经潮湿，血腥味被寒流冲散开来。我欲暂脱这险境，我便佯作跌落，低了它们一格，向下连续的“旋飞”。但我的体力已不允许我这样做。不到七八转的旋飞，便不能再支持了，从高空直跌下来，我的意识也模糊了，至于无线电信，似已隔断失去它的性能。一切都完了！我忽发生这一转念，“民族还未解放，责任上却不容我牺牲的”，怎么脑筋像被毒针刺激一样，立即浑身的血液沸腾起来，还在不知不觉间，机身却已攒升。其实这时机身距离黄浦江面，只有三米了，稍一差池就可以完结这架飞机和我的生命。

在暴风雨的高空，展开了我们一场毒辣的格斗，到黄昏时候，我才结束这一天的活动。据说，我驾驶的飞机，几时降落到机场上，不单我自己无从知道，连留在机场的人都未注意。待到发觉，还以为我是一具尸体。

感谢当在威力圈外

意想不到的，这具尸体，此刻又已复活了；借各方面的助力，要想感谢赐我的美意，惟有希望我的体力能旦日的复原，再上战线去！最低限度，要先把敌人绝迹，自由飞行我们领空的二百余公里底威力圈以外。

我一刻也不会忘了我的职能和宿仇，这里还有一方窗子，既可以看到高朗的天景，又可以看到敌机的行动，由此，使我对它们更深的认识，而更加的渺视！

当我搁笔前，该感谢这只负伤的手，历七八小时为我记录这段回忆，使留下我生活中最宝贵的一页。再是，那缕缕的花香，由它减除我病境中无限的寂寥。

军中三日记

胡兰畦

伤风老是不好，从妇女慰劳自卫抗战将士会出来，跑去看医生，谁知医生早已回到四川去了。找别的医生的钟点又不适当，回到慰劳会也不好，因为再过半点钟我要应程远先生之约，到她办的第十四救护医院去给伤兵播音，想去想来，还是回家去等半个钟头好了。回去时，金先生告诉我说，有个杨幸之打电话来过，他住在新惠中旅馆，请我回来时就打电话给他。我真想不出这样一个名字的朋友，我想一定是在北平被日本人扣去的杨一之回来了，我马上就告诉刘思慕说杨一之回来了，他拿起电话就打，谁知杨先生已经出街去了，我又问金先生他电话上说些什么。

“他从前线回来的，明天就要去，他说十年前是胡小姐的熟朋友。”

“前线回来的？十年前的熟朋友？姓杨？”我想，“难道还是我十年前受训时的那位庄严慈和的杨区队长？”我老早听说他是已经死了，难道还活着？我虽然想不出他的名字，但是总不会叫迅之。好奇心驱遣着我又给新惠中旅馆打一次电话，请杨先生回来时打电话给我。

我去看了病回来，果然电话来了，这声音熟极了，还不等我问，他就急忙地说：“我是 ×× 呀！”

“呵，是你！天晓得，闹了半天，一之，幸之总没弄清爽，咳！你在那里呀？”我说：“你在那里呢？我来看你，好不好？”

“你几时有空？我来看你好了。”他说，“我现在饭馆吃饭，如果你有空，我吃完饭就来。”

“我本来要去看一个朋友，现在不去好了，请你吃好饭就来！”

一个瘦得只有一张皮，面色苍白的青年的影子，活泼泼地在我的脑筋里出现了。我记得九年前在南昌遇了事，我们都非常仓忙，我到他的家中，连他的妻子都没有看见，我们就分手了。事情很简单，因为他帮助一个落难的朋友，受了很大的牵连，影响到几个朋友的去留。虽然是发生了这样的事，但是没有人抱怨过他，因为这些朋友都很了解他是一个富有革命热情的青年，他纯是为了帮助落难的朋友。想到这件事，我又想起在南昌的一班朋友，计算起来，已经死了很多，而久不通消息的 ×× 忽然而来，真是高兴得说不出来。我从金先生的电话室走到思慕的房间，又从思慕房间走到金先生的电话室，我口中就是念着："他从前线回来，明天就要去。"而我的脑筋中老是萦系着一个文弱的书生。

吃了晚饭，我在家里等他。门铃一响，我就自己去开，果然接着了，两个穿军装的，一个穿长衫的，恰恰这个穿长衫的并不是 ×× 而是《申报》馆的陈赓雅先生，而我所想象的文弱书生，现在已经成了一个彪形大汉，穿着军装，简直是个伟大的军官。我失声地叫了：

"呵！要是在路上，我简直就不认得你啊，伟大伟大！"

"谁也认不得我了，从前就瘦，一胖起来就胖得不可收拾。越用体力就越胖，想减轻一磅也不可能，真是讨厌得很！”

“伟大得很，不要灰心，再加几磅直像银行家，我们都可以向你要钱用了。”

彼此经过了许多苦难的十年旧友，话匣子打开了，从过去的朋友，过去的工作，说到现在的朋友，现在的工作，说到他的爱妻，他的小孩……像开了河流一样滔滔不绝，一直说到十点半钟，快到戒严的时间，他们才去。我把他们送出门外，直看见他高大的背影转出了弄堂，我又回想起十年前共同工作的一班纯洁的青年和旧友。

我和杨幸之去看何先生，他是代表 × 将军去给何先生致谢的，因为何先生送了前线将士很多慰劳品，所以他们前线回来的人，多半都要去看她老人家。在谈话之后，何先生叫我去慰劳 × 将军，我就决心和幸之一道去。

这天下午我已准备好了，幸之来电话说要明天才走，就在这天下午第 × 军的温处长又来接我们到第 × 军去。何先生又来电话要我去，因为我问好了次日可以回来，我就决定先去第 × 军。但是温处长领着我在上海市内兜了两圈风之后，他说车子出了毛病，我们并不曾出上海市，就各自回了家。这就算是慰劳了第 × 军。

第二天下午，我去到新惠中旅馆，幸之高兴地接着我，他说："万事俱备，只等车来！"但是，常常都是为了车的缘故，延误时间。幸之急得不可开交，他说："真正糟糕！"

"急有什么办法？"

"再走不成，我要急死了。"他说，"你看，天黑了怎样走呀！真的，我要自杀了！"

天，真是不客气地黑了，而且还下起雨来。正说着，《申报》馆的陈先生来了，他看见车还没来，他一定要请我们吃晚饭，正因为车没有来，我们谁也不愿离开此地，怕给车子错落了又来着急。陈先生又殷勤得很，终归还是叫了面来，正在吃的时候，下面的喇叭按得咕咕直叫，幸之脸上的肌肉一下就放松了，眉头也展开了，接连地说："来了，来了！"于是我们都准备着走。

起身时，两部车一齐走，但是车夫娘子又害了病，得先回去安顿一下，好在只停了两分钟就向前走。这时我忽然看见后面的一辆车，是用绳子绑在我们的车上在开驶，我大吃一惊。“为什么这车是挂着走？”我说，“这怎么可以呀？”我曾经吃过车子在半路上抛了锚的苦头，所以尽力的提出警告来。幸之不但不告诉我，而且做出非常神秘的样子，他说：“这儿有个秘密，而且是不能宣布的秘密。”真是奇怪，我就想不出来，陈先生看着我想不出来的神情，于是他说：“请的领港。”我终于是在这四个字的中间，似乎是领会了他的意思，但是也不敢说是靠得住，究竟是什么一回事。

车子出了租界停在中国地方上，那儿早停有一辆新式车在等我们。幸之叫我调到那部新车上去，雨淋淋漓漓地越下越大了，陈君在大雨中与我们握手告别，而我们的车子也解了绳索，和陈君的车子分了家，现在自由地随在我们坐的新车后面开驶前进。这时幸之才告诉了我，陈君当领港的秘密，我也笑了。

雨下得滴滴答答地从车篷上流下水来，风卷着雨水从缝口洒到我们的脸上。沿途都有撑着雨伞的哨兵跑到我们的车前来检查通过证书，我们的车就在严密盘查之下向前开走。

我们的车大约开了三个多钟头，到了一个地方，有很多车马密密地停在那儿，这时我才懂得“戎马倥偬”四个字的神气。我们的车从这密察的车马队里冲到一个较空的位置，这时真是黑得看不见人。幸之他叫车子停下来先就跳下去，在黑暗中，我只听着他高声地在说：“兰畦来了。”我想，难道庄君在此？我正留心听他的下文的时候，一个浓重的湖南腔口音，已经传到我的耳朵里来！“在那里呀？”我晓得是毛梦献，因为幸之已经告诉过我，他在军中。我刚刚打开车门看的时候，一个黑影子正从对面大卡车上跳下来，这就是我们十年不见的青年文学家毛梦献，又是一个文弱的书生，在军中服务几年了。他过去那种坚苦的精神，还深深地印在我的脑海里。一到车前他就拿手电筒往车内直射，从电光中，我看他还是和从前一样清瘦，火一般的眼光，好像要和电光比赛一样接连地闪灼，他的口里连连地说：“你强壮多了，比从前身体好多了。”说着，他已经钻进车来，幸之这时也回到车内来了，他又对幸之说：“兰畦比以前壮多了。”他惟恐旁人把话锋抢去一样，连忙又对我说：“你的生活，我们都晓得，读到你的《在德国女牢中》那书，我对幸之说就活是你的样子，一点也没有变啊！”

他又殷勤地问我在德国的情形，出狱后的生活，接着他又说："你来真是好极了，我们到此已经是一个多月了，从没有人来看过我们，只有一个朋友来过，你是第二个；但是，我的运道不好，又要到后方去慰劳伤兵。"我们三人就黑魆魆在汽车内谈话，其实，话几乎被毛梦献一个人争去说了，因为他在极度高兴的情况下，他的话活像放连珠炮一样，达达达达不断地说，旁人都插不进嘴去。他从去后方慰劳伤兵，说到审讯汉奸，打汉奸的板子，打了板子，他还不招供，又使劲地打。吸鸦片的人，要使劲打，就说出来了，以至于在 × 部他有两只鸡要请我吃了鸡才去的话通通要在这短时间，都把它一齐说完。

车到 ××，从模模糊糊之中，我看出这市镇伟大的轮廓。梦献告诉我说，× 长在这里开会，××× 也在，今天高级军官已经开了一整日的会议了。

幸之从车窗口上又急忙地在和人说话，我们的车子，好像走踏步一样地走着，慢慢地向前开驶。出了镇口，又才风驰电掣地往前走。到了 ×××，毛梦献才坐着原车回去。原来他是专为送我而来。这时我和幸之就在黑夜里踏着极湿滑的路程摸索着向前走。

我们滑到 × 部的时候，已是深夜了，× 长还没回来。副官处长已经给预备了一间有架子床的单房间，我看他们都是睡在木板上或者土地上，而我要独自占一间单房，真是抱歉得很！终于还是存着男女有别的观念，我就一人住在那间单房，而且睡的架子床。

因为昨夜有相当的疲乏，一觉睡到大天光，还被士兵吃饭的声音闹醒来。洗好了脸，吃了早餐，就去谒见 × 军长。× 军长的躯干不高，棕色的皮肤被太阳晒得透出红润的颜色，他有一种沉着厚重的仪态。当我看见他的时候，他早已读过了何先生送给他的诗和书信了。所以他与我握手之后就是致谢何先生和慰劳会的各位女同志，我也代表何先生对他表示了敬意。幸之又特别对 × 长介绍我在杨行刘行救伤的经过。

“啊，那时正是我们的部队在那里。”

“是的，大家都不知道，”我说，“我救的是第 × 师，第 ×× 师。”

“这正是进步的证明。”他说着现出很高兴的样子，“世界上的人，都以为中国人是没有组织的，一切都落后，尤其是日本人，他们总以为中国的军队这样不行，那样不行，什么都不行。那晓得一接触之后，他才知道碰到对手啦，器械是新的，战术也是新的，特别是士兵的英勇，完全出乎他们的意外。这次的战争，完全粉碎了日本人的野心，今天他们才晓得中国人不是他们所想象那样地怯懦。就思想上说，中国军人，真比日本军人进步得多，中国军人都知道这是为争取民族的生存而战，大家都抱定了为争取民族的自由而牺牲的决心；日本军人则自知理屈，每个人都存着最迷信的落后观念，无论是俘虏的日本兵，或者打死了的日本军官，他们每个人身上都有符咒。从打死了的日本兵身上，我们搜出很多日记，大半都是很坦白地写出他们的心情，比如他们写着在军旅中种种的困难，粮食、用品，以至于水都要从日本运来，他们深深感到前途的暗淡和悲观，文字写得非常之好，非常之动人，而且都是征来的新兵。”说到这里，他表现出一种叹息的样子，我看他一定在想孙总理常常引用来勉励人的“天下为公的大道之行也，天下为公”，倘若这些日本人要是走上天下为公的大道的时候，也是可爱的人才。然而日本帝国主义者，又何曾梦想过走那“天下为公”的“大道”呢！如果我们平心静气地算一算，在今日世界，除了中华民族有这样理想的精神之外，就只有苏联正在那儿实行。

大家都沉默了一下之后，×军长又继续地说话了：“日本人总是大吹大擂，几个钟头要炸毁上海，几个钟头要轰平南京，到今天一样也不成功，这次血战的事实，不但粉碎了日本人骄横的野心，而且还扫尽了他在国际上的威风。恰恰相反，中国人在国际上的地位，却是增高起来，而且得到世界各国的同情，特别是各国的民众提出许多帮助中国的方法。

“从开战至今，无论他的飞机、炸弹、坦克、大炮、海军、陆军、空军一齐施展出来，已是四十几天了，不过仅能占去我们三十多里地方。单是罗店的战争，出入几次，日军损失的数目，并不少于我们，他的久留米师团，雄本师团，十一师团三个队伍几乎完全消灭。他们的补充，可就困难极了，而且补充来的新兵，又都感到前途的暗淡与悲观。再要撑持下去，日本军的内部，一定要起变化的，一定，一定。在中国方面，这次布置得很好，凡是前线作战的将官，根本不要担心补充方面的事情，前仆后继的工作，我们的政府，老早就准备好了。这种准备，鼓励着将士们，都愿上前线，也不怕损失实力。”

从 × 军长的笑容上，我已经看出他对于这次全面抗战的工作，有了很切实的把握了。于是我说：“何先生要我问问军长，需要我们如何帮助你们？希望不客气地告诉我！”

“前方不需要什么，我希望能够多多去对伤好再回防的将士，鼓励他们，这比什么都要紧。”

“这件工作，何先生非常注意，每天都有慰劳组组长和何先生的小姐，还有许多女同志，带着慰劳品去各医院欢送他们。”

“这个非常之好。此外，我希望女同志们能够帮助我们多做些民间的联络工作，比如军队来了，使老百姓还是照常做事，不要躲起来。其次就是防止汉奸的工作，更是需要大家努力。本来过去这件工作有党代表，或者政治部做的，现在政训处的政训员在这紧张的时候，真是忙不过来。我很希望同志们能够大家担负起这个责任来。”

我告辞出来的时候，× 军长嘱幸之陪我到居民家中去访问他们。像这样关切人民的将官，只有在革命的队伍中方能找得出来，我觉得革命的力量是伟大的，而且只有在革命的意义下，才可以造出真英雄来。

幸之带着我去了几家住户的家里，他们知道了我们来意之后，就表示出很欢迎的样子，而且不客气地把他们的心事都告诉我们。到我们走的时候，他们都有依依不舍的状态，特别是妇女们，她们连连地说："先生，几时再来呀？请常常来坐呀！"老太太又去把芦蒿秆拿出来了，她一定要送给我："先生，带去吃呀！先生。"这时弄得我怪难为情，"却之不恭受之有愧"的一句古话，正是我此时的窘态。中国的老百姓，实在太可爱了，他们简单纯朴的生活，造成了他们这样容易相与的性情，只要你对他们有一点好处，他们就永不相忘，真有"投我木桃报以琼瑶"的状况。然而这也正是使我们忧虑的地方，太简单，太诚朴，就容易受人的欺骗，我虽然是喜欢他们，而我还是特别的担心，我惟恐他们在不知不觉中，就会受奸人的误用。

虽然天空中的敌机轧轧地在头上飞去飞来，炮弹轰隆隆地响着，我还是留恋着战地民众，又在军部住了一夜。第二天清早起来时，幸之告诉我说捉有汉奸，他约我和他会审。我很高兴地答应他了，我想天天在说汉奸，今天倒要看看汉奸的尊容。汉奸究竟是啥样子，或者很狡猾的，或者像流氓一样，飞扬浮燥的神情？然而，从我的脑子里怎样也搜索不出这样一个典型，虽然千奇百怪的中国人影，在我的脑子内拥去拥来。

吃了饭后，连长先来报告，幸之满不在乎地一点事情都没有样，坐在那儿不动。我走到桌旁的凳上坐下来，一本正经地，俨然要当审判官一样，而且神情很紧张，我的两只眼睛，一直看着一个军人把那个汉奸带进屋来。我留心一看，这个人的手给草绳子背绑着，脸皮被烟熏成了一种灰黄的颜色，很奇怪，下眼皮扯到一个地方，露出一块红肉，难看极了。衣服也没纽扣，真是一个小流氓。但是不然，如果我们一考查他的事情，他才真会捣鬼！他是一个刻字匠，他可把地图刻出来。这次被捕的时候，就因为飞机来了，他不但不躲，而且还要做手势。

带汉奸的兵，把汉奸带进屋来时，就命令他站远点，于是他站在离我们三尺远的地方。幸之对我说：

“问呀！”于是我郑重地问他：

“侬叫啥个名字呀？”

“××。”

“啥地方人？”

“×××。”

“做啥事体？”

“帮 ××× 卖鸦片烟。”

“还做什么？”

“送送信，扫扫地。”

“送什么信？”

“给老板送信。”

“信上说什么？”

“不晓得。”

“老板和东洋人有啥关系？”

“不晓得。”

“你老板是不是调查军队情形报告东洋人？”

“不晓得。”

这个人狡猾极了，我简直把他没办法。幸之说：“听说毛秘书昨天审他什么都说过的，今天又翻案。”

“你再不说，我们就要打呵。”一个参谋官这样说。然而无论如何，他是不说的。我们都很生气，终于幸之说打板子。虽然军士打了他几十板子，他还是不说，而幸之又因为上次打错了一个哑子，后来知道错了，赔了几块钱心里还难过。他现在很怕再弄错了，心里不安，于是只好叫把他带下去，于是又带第二个来。也不知是汉奸狡猾，我们不够凶，或者是他们真不是汉奸。这一次我的会审完全失败了，一点也没有得到结果。

这天天气又非常阴暗，乘着没有敌机的轰炸，我就乘车回到上海来。

钢勇士

许　华

二十四日中午，我们在第 × 师政训处会见了钟品芳连长和韦少卿班长，他们是刚从火线下来的，满脸都是泥尘，身上血迹斑斑，可见他们连日冲锋肉搏已备受辛苦了。

因为大家是站在一条战线上，而且又听到大家都是讲广东话，所以一见之下，有如久别重逢的故知，亲切得难以形容。我们致以慰问之后，便促膝坐下。

钟连长卸下身上的三支匣子枪，点起一支香烟，很爽快地和我们漫谈起来。

我见了他身上的血迹，问他这血迹的来历。他扯起他的血衣，笑了一笑才回答我："这是肉搏的时候染的！"

韦班长在擦枪，他递了一支过来给我们看，他指着枪上的污点说：“你看，这枪上也有血迹！”

从这点我们可以想见当时的战事是如何惨烈了！

后来我们请钟连长讲述他们杀敌的故事，他也很高兴，他摸摸那久已不修的胡子，仰起头来想了半晌，便开始描述他们的光荣史：

“我是十九日晚上吧？对了，是十九晚，我们开到沈家桥前线，防守第二线，那一晚没有什么好说，只是敌人飞机常常来轰炸我们的阵地。三十多架轮流出动，一队去了一队又来，几乎是不停的。我们没有理他。有一次很危险，一个炸弹竟丢中我们的掩蔽部，上面的横木已经炸断，整个顶子陷了下来，幸而我急忙用两支枪杆把它支持住，不然就被活埋了！

“我们在那里住了一晚，第二天早晨第一线的友军换下来了，我们便接了上去。当时敌人的阵地还没有布置好，冲了几冲，敌人便退却了。这一役敌人死伤恐怕有一千多，满地都是敌人的遗尸，壕沟里也堆满着，那腥臭的气味，真是难闻极了，但是也没有办法收拾，只好把它抛到壕外就算了。”

说到这里，他好像有点感触，停了一会，他终于倾吐出来了：

“这一场仗我觉得最有价值。从前内战真是无谓，现在为国家而战，那个不兴奋？所以我们弟兄们冲锋的时候，都是争先恐后，认为后死是惭愧的。”

随后他又言归战史：

“我们恢复了第一线，敌人便时时到我们的阵地来摸，可是遭了硬的打击，便退了回去。到了晚上，便展开剧烈的恶战，先是敌人的排炮开过来，不停地差不多轰了一千多炮，同时还有十几架飞机在头上丢炸弹，并且给他们的大炮做目标。轰隆！轰隆！密集的轰了半天，轰得天昏地裂。我们的耳朵被那疯狂的炮声震得昏聋，但是我们不理他。轰隆轰隆的轰了好久，炮火稍为停了一下，马上又集中到我们的第二线，遮断我们的补充。好了，这个时候就要即刻准备了，我便叫弟兄们上起刺刀来，等待敌人的步兵。敌人的机关枪吐火舌了，步兵也来摸了，可是这里遭了硬的打击，那里遭了硬的打击，总是没有办法。反而死伤不少。后来愈来愈多了，但我们不管他，只是硬打，他们也没有办法。于是坦克车来了，整千整百的步兵跟在后面，像潮水一样涌过来。我们等到他的坦克车走近了，我们立刻散开来，让它过去，专打敌人的步兵。同时用几个弟兄去牺牲，对付坦克车，拼命冲过去，把手榴弹向它轮子一掷，就毁了。”

“你们毁了他多少辆？”

我禁不住这样问，韦班长听了，很痛快的用一半广东话一半湖南话回答我：

“我本人毁了一辆，其他的弟兄毁了好几辆。”

这动听的话，使我感激得说不出话来，我只是热烈地紧握着他的手，表示我心里无限的敬意。中国忠勇军人的代表，韦班长可以当之而无愧了！

接着钟连长又说下去：

“我们和敌人肉搏几次，敌人又败退了，但整理增援之后，敌人又来猛攻，而且拿最残酷的手段来了！敌人开过来的大炮弹，机关枪弹，步枪弹都是开花的催泪弹，弄得弟兄们的眼睛都睁不开，眼泪涔涔落下。但是我们不管，一边擦泪一边打，支持下去，敌人终归没有办法。这样差不多苦战了一夜，快要天亮的时候，敌人因为死伤太大，终于败退，但我们也牺牲过半了！”

突然，沉痛的静默不知从那里袭了过来。

但一会儿，这窒人的气氛又被钟连长的豪语肃清了。

他慷慨地说：

“为了争取国家的生存，我们纵使更大的牺牲也是光荣的！……

“后来我们打得更苦，一连打了几天，连饭也送不到，水也没有喝——因为恐怕汉奸放毒。后来战事愈来愈激烈，至昨天敌人倾巢来攻，我们团长也亲身带了弟兄们去冲锋。后来团长带花了，营长带花了，一团人也没有好几个了，但是我们还是要打，始终不退。直至入夜，只剩下我们八个人了，但是敌人愈攻愈烈，轰隆轰隆的打得天翻地覆，当时情势实在不能守了。但是我一想，如果丢空了这个阵地，将来恢复的时候不知要牺牲多少人，于是我们坚决不退，剩下一个人也要守。总之，死在这里就是！我们三支机关枪密集地扫射，消灭了不少敌人，但他们始终没有冲过我们的阵地。我们这样艰苦地支撑着，一直撑了大半夜。后来上官有命令来叫退，让友军接防，我们才退了下来。我本来不想退，死在那里就是，不过上面的命令不能违抗，没有办法，但是我们八个人能够支持大半夜，也算尽了我们的任务了！”

钟连长兴奋地说完了这种悲壮的光荣，他嘘了一口气，随手拿起身边那顶有网子罩着的钢盔来，指着那凹进去的地方给我们看：

“你们看看，这里中了一枪，如果没有这顶帽子，我的脑袋早就开花了！”他摸摸他的头，不禁有点感慨，他又嘘了一口气：“唉！我们打了十几年仗，从没有见过这样猛烈的炮火哟，但是几次冲锋，始终没有受到损害。现在自己思想，也好像是一个钢人了！”

我们静听了这段悲剧惨烈的传奇，面对着这两位传奇里的主角，打不死的钢人，情绪渐渐地由兴奋而激昂，以至于感动得几乎流出眼泪来了。我们火线上有这样神勇的战士，有这样威武的钢人，日本鬼子要想灭亡我们整个中国，那简直是梦想！

随后，钟连长又把敌人的战术说给我们听，他说：

“敌人来攻的时候，先用一班人来，然后一排，一连，一营，一团的跟在后面，愈来愈多。在未开始攻击以前，他们总是，一班一班的来摸，这里受了硬的打击，他们便到那里去，那里受了硬的打击，他们便到别处去，总是找我们的弱点来攻。攻得得手的时候，便一排，一连，一营的冲过来。如果仍然受了硬的打击，他便拿出惨酷的手段来放毒瓦斯了，但是我们不要理他，只是硬打，他们终于没有办法的。至于我们进攻敌人的时候，要看情况，不要冲得太厉害，我们有些部队，有时因为火气太猛，当敌人败退的时候，恨不得把他赶回东京去。死追，死追，以致深入了敌人的火网，受到很大的伤亡，这是不好的。总之，我们要看情况，不要中了他的毒计，这是我几天来苦战所得的一点经验。我们能够想法子对付他，他一定要败的。”

这是血的经验，是很宝贵的。

后来我们谈汉奸的问题，他说：“前线的汉奸也很多，我们受了汉奸的害处很不少，有一次我们弄了一条假壕，派两个弟兄在壕里跑来跑去，诱敌人的飞机消耗它的炸弹，但是敌机不炸这条假壕，却炸到我们人多而且伪装很好的战壕来，这不是汉奸指示目标吗？还有些汉奸很厉害，他们伪装我们的士兵去打官长的。有一次我们军长到前线督战，遇到一个形迹可疑的士兵，问他是那一团的，噢，他突然拿出手枪来，幸而军长的勤务兵手快打死了他。敌人要想打败我们，真是什么手段都想出来了，但是这些汉奸也太可恶，甚至女人也去做汉奸。有一天我们进驻一个新的村庄，明明这里的女人都走光了，但是第二天忽然发现女人，女人出来，悠闲地坐在河边。日本飞机来了，叫她们走，她们不走，似乎满不在乎的说：怕什么呢？等到日本飞机飞到她们头上来，她们就站起来招手，指示目标炸我们的工事，我当时就把她捉起来……”

“可杀！有没有枪毙她们？”

“后来把她们解到上面去的。”

谈到这里，我们恐怕太辛劳他们的精神了，便请他们到我们的床铺去睡觉，休息一下，可是可恶的敌机不断的在我们头上盘旋不去，呜呜的吵得他们不能入睡，终于又跑回胡处长那边去。因为那边有掩蔽，声音比较小一点。

不到一刻，这两位苦战多日，受尽辛劳的战士，已呼呼地沉睡起来，做他们战场杀敌的梦去了。

写于战地防空壕中

火线上的双十节

胡兰畦

“中国的老百姓呀，大家一条心！”郑蕙珍，李慧英和任秀棠三个人唱得半生不熟地在那儿练习着《保卫大上海》歌；亚芬和定宝两个小妹妹在另一个角落里，咭咭咕咕地编剧本；瑞英和敏玉两个人也在自己编戏，一面在做表情，一面在想，她们两个人要互相导演一幕《活捉东洋兵》；琦伟，秀娟也忙着在清理宣传品。歌声和人声，把一间农民的小屋弄得像办喜事的一样，真是热闹极了。放牛的小孩子，刈草的女娃娃，都拥起来看热闹，门口挤了一大堆赤着脚板，雨水淋淋的乡下人。

在百忙中，我忽然发现了烟桥给我画的宣传图画上，一张都找不出一个女人来。

“糟糕，糟糕！”我说，“劳动妇女战地服务团印发的抗日图画内面，连一个妇女的影子都没有，怪难为情啊！”

“怎么好呢？”亚芬比旁人都着急。于是我打个电话到市镇上去问烟桥，在电话上，他说：“呵，呵，呵！”我说：“呵，呵，呵，怎么可以呀，现在罚你再画一张大的，而且要多画女人，而且要在十一点钟派人送来！”

“好，好好！”烟桥笑着答应我了。

果然，十一点钟时，他派人把图画送来了。一张大图，上面画的尽是女人，好像是女儿国一样，种田的是女人，织布的是女人，卖菜的是女人，修路的是女人，摇舡的是女人，捉汉奸的是女人，连那一个被捉的汉奸也是女人，一个男人都没有，我的小妹妹们说：“陈先生的图画真是男女有别呵！”

在十二点钟时，秦队长已把大会的程序写好，但是屋檐上的水，沿着芳草滴滴答答不断地流，而从天空中就像漏了箩筛的粉子一样，密密麻麻地直洒下来。

“这样大的雨，还有人来开会吗？”一定有人在这样想。或者就是我们的小妹妹中间，也有人捏着一把汗，然而也有几个小妹妹，并不因这连绵的雨水而减低她高兴的程度，因为她们在头一天已经把农民们邀约好了，并且给他们说了："风雨不改！"所以她们很有把握地以为农民们一定要来，而且纠察队员胡瑞英，任秀棠，柳秀娟三人已经把宣传图画挟在手腕下面，穿起草鞋，戴上斗笠预先出发了，为的是要先去布置会场。

中国的人民尤其是农民，他们生成就有一种必信必忠的个性，你说风雨不改，他就风雨不改，在约定的时间中，他们就像队伍一样开起出来了，在远处的田边，在近处的屋角，有许多的农民，披着蓑衣，戴着斗笠，有的还打着雨伞，成群结队，像牵成的线子一样都向着开会的场所前去。

"快呀，老百姓都去了，我们还在家里！"我急急地催促她们，同时我也把裤管卷得很高，穿上草鞋，跳出屋子去了，李亚芬比我更快，她已经哔哔剥剥地踏着水塘塘跑得很远了。

秦队长的胆子似乎小一些，她还有点顾惜的样子，她的一双雪白的脚板套在草鞋中间一步一步地在泥垢中走，把泥浆踏得吱一吱一吱地响，我看着她笑了，但是她不晓得我笑什么。

我们到了会场，大家就忙着把宣传图画在壁头上张贴起来，陆陆续续来的农民，都围着来看图画了，我们请的 × 部的杨秘书也从镇上赶来了。

在平常天下雨的时候，一定会将大会移到室内去开，而现在却是恰恰相反，天晴时，我们才要到室内开会，正因为天落大雨，我们的农民大会倒要在露天之下举行。这岂不是很奇怪的事吗？如果我们用心一想，就会晓得是什么缘故。如果还不明白的话，你们就想一想，现在的事情是反的，比如中国是素爱和平的，从没有要损人利己地去侵害别的国家，但是硬有人要说它是落后，天天用飞机大炮来轰呀，炸呀，轰塌无数的房屋，炸死无数的人命，这叫做“亲善”！反过来，像日本那样的国家，天天用飞机轰炸中国，无论是手无寸铁的老百姓，无论是带了重伤的士兵，无论是乡村里的妇女儿童，日本人像野兽一样，硬要害死他们。像这样残酷的行为，像这样残酷的国家，可是硬还有人说它是进步，是文明！

会开了。到会的农民竟有百数十人，连小孩已过二百数十人的光景。全体肃立在大雨之下，秦队长任司仪，因为在乡下，我们没有国旗党旗，也没有总理遗像，所以秦队长宣布唱党歌。虽然乡民们没有这种修养，而我们的队员和杨秘书等十几个人合唱的声音也就很够雄壮了，歌声很严肃地传播到空中，也很严肃地打在每个农民的心上，在向死难的将士和先烈们以及在抗战中死难的民众们静默致敬的时候，我们听不出一丝的声息，虽然有几十个小孩们在这一群当中。

主席金敏玉，她一向是很庄重的，虽然她的年纪很轻，然而担当起工作来，确是一把能手。她简单地致了开会词，报告了今年双十节的意义之后，秦队长就请 × 部代表杨秘书讲演。杨秘书摆开八字脚站在水泥浆当中，因为他的身材很大，乡民们很多都以为他是个大军官，所以他说话的时候，大家都现出那种洗耳恭听的样子。

雨越下越大，风越吹越凶，几百人站在风雨之中打着伞，戴着斗笠，静静地听。杨秘书讲演到我们将士悲壮牺牲的时候，有的人流下泪来了。当他讲到什么人的飞机天天在轰炸我们的时候，群众中就答应说：

“东洋赤佬！”

这时，群众中高喊着：

“打倒日本帝国主义！”

“赶走东洋赤佬！”

雨打在每个人的脸上，淋在每个人的身上，渐渐地湿透了每个人的衣服，秦队长在给杨秘书当翻译，把他的土话翻成苏州话，雨点滴在她的脸上像珍珠一样，一颗一颗地。

大众并不因为狂风大雨，就减低了热情，却正因为一大群人站在这里开会，正因为这班人的歌声，演说声，引起更多的远方的农民来了。他们从溪边踏水过来，从会场的四面不断地冒着雨过来，到的群众已经将近三百人了。到演说完了的时候，大家高喊：打倒日本帝国主义！赶走东洋赤佬！中华民国万岁！中华民国万岁！因为在雨地里太久，我怕他们受病，所以游艺会就移到室内去开。

居民自动地把他们的门板抬下来搭了一个小台子。我们的队员一齐上去全体合唱了一首《打倒东洋》，其次唱《军民联合歌》。唱过后，群众喊：“再唱！”她们又唱了一首《保卫大上海》。唱毕时群众的情绪高涨极了。

在热烈的掌声中，定宝扮着难民走到台上来，她张慌的表情，和凄楚的叫声，使得群众都紧张地望着台上，好像那台上立刻要发生一件什么事情一样。

“啊哟，怎么了啊！一家人都给炸弹轰散了，啊哟，怎么了啊？……”

这时，亚芬也扮着难民出来，她背着包袱直往前奔，忽然听着这妇人的哭声，她就来慰问她。在她们的对话中，词句和表情都非常动人，群众中很多人都哭起来了。我一面紧张地看她们的表演，一面惊叹她们的努力和天才，真是高兴极了！

散会的时候大家又再唱歌，群众也跟唱，而且继续不断地连唱几次《打倒东洋》歌，因为这个歌谱很简单，不一会群众都学会了，在大众的《打倒东洋》的歌声中，我们举行了大会闭幕式。回家的时候，小孩子们都可以沿途唱起来。歌声和雨声，演奏出另一种的音乐。这时秦队长在泥浆中，已经比来时走得起劲得多，群众的热情，鼓励着她忘记了泥泞道路的困难，秦队长又有了新的进步！

大战东林寺

胡兰畦

排长胡玉政开到东林寺

排长胡玉政背着他的枪，带好了手榴弹，领着他的一排弟兄，随着连长开到东林寺去担任守备职务。那正是九月二十六的夜里，天上没有月亮，四野也没有人声，黑魆魆地，他们就摸索着走。夜风带着潮湿的寒气，吹在他们每个人的脸上，但是他们没有觉得，因为他们的心思完全注意在长官命令他们去守备的东林寺去了。

东林寺本是一个庙宇，地势很高，是我们全阵的凸出地方，那儿可以观察敌人的阵容，也可以射击敌人的要点，所以敌人也要争夺这个地方。东林寺不但是地势好，而且风景也很美丽，好像《水浒传》上说的“寨子”

一样，三面都是小河围绕着，只有前面是一片稻田，微风时时把清香的气息吹送到人们的当前，使得在这里的人们都觉到有一种特别的清爽。

胡排长到了那儿的时候，天也快要亮了，他们也没有吃饭，好在顿把饭对于他们也算不了什么，就是几天不吃，也满不在乎。

寺内空空地，没有人，也没有东西，剩下的只有一些稻草。胡排长奉到连长的命令，把卫兵，哨兵统统都布置好，然后才把稻草铺在地上，把枪弹当做枕头，随便地躺着休息，他是睁开眼睛等待着天光。

东洋兵有什么可怕呀？

天已经亮了，太阳从远处的云里射出光芒，原野显得格外幽静。忽然枪声响了，劈劈劈，劈劈劈地响了，红色的火花在蔚蓝的天空中直向东林寺射。有一队东洋兵在密密机枪掩护之下开过来了，他们在搜索，他们在找要点。他们的眼睛，像老鼠一样四面偷看。

很快地，连长下着命令：

“对准开枪！我未说放，就不要打！”

大家都握着枪，散开了，静静地等着，东洋兵好像胜利了一样，越来越近。连长说了一声：“放射！”第一颗子弹已经嘶地一声飞出去了，接连就是碌碌碌的声音。

“退了！退了！”胡排长很神气地叫了。

“哈哈！东洋兵真经不得打。”上等兵刘益山带着非常骄傲的口气，耻笑着那一队听着枪声就向后转的东洋兵。胡排长也带着讥笑的口气，他说：“皇军就是这样，哈哈！”

“不要这样，东洋兵的诡计还在后头。”连长这样说，“现在休息一下，急速准备。”

“东洋兵有什么可怕呀？一点胆子也没有！”上等兵刘益山又说一句，“咱们吼一声，他也要跑退八里路。”说着，他哗地一声，把他的枪搭到肩头上，很安闲地走出庙门去了。

原来是救兵来了

真的，二十九日的清早，天还没有十分明亮，大队的东洋兵又开过来。连长指挥着弟兄们拼命地抵御，但是来势太凶，遍田遍野只看见密密连连的东洋兵直冲着前进。胡排长看着这样的情形，急忙回头一看，他后面躺着的都是带了伤的弟兄，而且直挺挺横在地下的都是被枪打得咽了气的尸体。他想："难道今天还要败在东洋兵的手下吗？"这一下他着急了，然而有啥办法呢？他只得不惜子弹，密密地射击。

东洋兵逼得更近了，连长也带了伤，胡排长这时更感到自己的孤单。然而东林寺这一所美丽的地方，这一个战争的重要地，怎能随便给东洋兵占去？他一面不停手地放枪，一面叫班长徐爱山回去求救。他想："去了一个人，就少了一杆硬火，更减少压迫东洋兵的一份威力。"然而为了要增加援兵来保守这一个重要的东林寺，胡排长就愿意减少一杆硬火。

重机关枪的声音响得像连珠炮一样，胡排长的心急得快燃烧起来，他想："这一下完了，再加一排重机关枪，这一个阵地实在无法保守！"但是他的心一横，拼死地扳着他手上的枪。可是他的枪因为打得太多的缘故这时打不响了。他再回头一看，能打仗的弟兄，只有四个人。

“好吧！”他带着愤怒的声音说，“上好刺刀！”他们很快地上好了刺刀。“啊？怎么样？东洋人没有冲来？”胡排长很奇怪，他想想难道还是做梦吗？他睁大眼睛一看，稻子站在田土里被太阳晒得闪出金色的光辉，很多东洋兵带着伤倒下去了，而且在那稻田上面翻腾。他仔细一听，原来重机关枪的子弹是从他的阵地侧面放射出来，他脸上紧板的神经，一下里松弛下来，好像卸了一个千斤的重担。他笑嘻嘻地对他的四个伙伴说：“啊！原来是援兵到了！”

这个最大的仇恨

赵营副带了两连人，还有一排重机关枪到东林寺来援救胡排长他们。一阵机关枪的扫射，就把“皇军”的队伍打退回去，保卫了危急存亡的东林寺。胡排长接着他的时候，欢喜得流出了眼泪。趁黄昏的时候，胡排长拿了铁锹到庙宇旁边挖了一个大窖，把这些殉国的英雄埋在土里。两连的官兵，都默默地站在窖前向他们致最诚意的敬礼。有的在为烈士们祝福，有的在对他们宣誓，他们说：“弟兄们，你们安心去吧！这个最大的仇恨，我们是要替你们报复的，我们的祖国——中华民国——是不能让倭儿老是这样蹂躏的呵，弟兄们！你们在天堂里安心吧，这个大仇，我们是要报复的！只要我们有一支枪，一粒弹，一个人，我们都是要和东洋兵相拼到底……！”在众人宣誓的时候，胡排长的眼泪像豆子一样，一颗一颗地落在脸上，他的内心里有一种说不出的痛苦，才三天的辰光，他的一百几十个同伴，就牺牲得只剩他们四个人了，要不是这两连的援兵到来，今天这个阵地就一定会被东洋兵占去了，他的心里，一面在痛惜他旧的同伴，一面又在感谢他新的朋友。他痛心地，爱惜地要再看看他所保卫的东林寺，然而东林寺此时已被黑暗的帐幕把它包围了。月亮躲避着，已经很久不出来，此刻能够了解胡排长的心事的，除了他的伙伴和他死去的朋友以外，还有天空中的几颗繁星。他最大的心愿，是要赶尽东洋兵。

东洋兵忙忙地掘战壕

东洋兵两次都吃了败仗，他们自己觉得离了飞机大炮“皇军”也是不行的啊。这时他们的军官悲观起来了，连忙推出他们的轻炮和重炮，对着东林寺轰击，他想：“占不到，我就轰灭它！”炮声像打大雷一样，炮弹一个个都打中在庙宇的墙头，东洋兵也跟在大炮弹下面冲过来。

我们的轻机枪，射得太多，忽然打不响了，东洋兵却凶猛地冲到了墙下。赵营副一点也不着急，他好像看惯了，满不在乎地说：

“弟兄们，上去，请他们吃手榴弹！”

这时已经到了短兵相接的时候，手榴弹猛烈地爆炸了，赵营副好像打野狗似的，自己拿起手榴弹连连向着东洋兵抛掷，一连打了十几个，中弹的东洋兵有五十几人倒在地下，一动也动不得。将要冲过来的反身就逃。远处的稻田里，东洋兵又忙忙地在筑战壕。他们要认真地和我们对垒，战壕筑得相当的坚固，炮口就对着东林寺轰击，每天他们都想冲杀过来，但是总没有一次遂了他们的心愿！每次都被中国兵打退回去。

一把掩埋死难伙伴的铁锹

十月二号的早晨，天刚刚亮了，静静的蔚蓝天空，边际上现着一条条的金色云彩。空气新鲜极了，它使得过于疲劳的战士们，都能在沉睡中恢复他们的精神。这是大自然赐给劳苦的好人们的唯一的安慰。可是野兽般的日本兵，他们却正要在这个时候来残杀。

东林寺对面的炮火又响了；开花弹一碰在墙壁上就要吃人们的血肉，可是那沉重的，不通人性的开花弹，它就偏到墙壁上来，而且还要往我们弟兄们的身上钻去。

班长潘玉林忙忙地扳开机关枪对准东洋兵冲过来的敢死队扫射。二十几个东洋兵都吃着子弹像得了软脚病的一样，身子一偏就倒在稻田里面。

东洋兵的敢死队多得像戳破了的蜂巢一样，成群地踏着稻子拥过来。班长潘玉林乘着他们不当心的时候，赶紧冲到庙外对准他们抛掷手榴弹。东洋兵的敢死队像得了急痧症一样，一排一排地倒在田里。

东洋兵的敢死队冲到庙边来的时候，已经死得只剩四个人了，这四个人被他们的中尉带着，还是拼死地往庙内冲。

庙宇内面，庙宇外面，满地横陈着的都是尸骸，我们的战士的尸骸，我们的战士还生存着的也只有五个人员，而且胡排长已经受轻伤。

东洋军的中尉富田义信带领着他的四个敢死队员，冲进庙宇来毫无人性地就踏在尸骸上走。杀人的凶焰，已经把他们的眼睛燃烧起野兽般的光芒。胡排长这时急忙扳动手上的枪槽，对准着那个东洋军的中尉打去。可是枪机失了效能，连扳不响。一霎眼中尉富田义信持着他的战刀对准胡排长刺来，像闪电一样，胡排长的手上抓着那一把铁锹，那一把掩埋他死难伙伴们尸体的铁锹，再也没有那样快，再也没有那样干脆，嘿地一声，就把那位“皇军”中尉送到天堂去了！

班长徐爱山在中尉的身上解下他的战刀来，毫不容情地砍死了敌人两个所谓敢死队员。这时上等兵刘益山已经身上吃了两刀，虽然他的鲜血和着他的热泪沿着他的脸上直流，可是他没有放松他手上的刺刀，是争活命是报大仇，是保守祖国的土地，他无情地杀尽了冲进庙里的东洋兵！

我们身上没有“神”

胡排长，徐爱山和刘益山三个人把敌人杀光了，他们坐在地上缓了一口气，也顾不得自己的伤痕，先去把稻田内敌人的机关枪和步枪拖过来埋藏着，然后回头来在几位“皇军”的敢死队身上一搜，中尉的身上，不但有军用地图，不但有阵地上的重要文件，而且还有一个特别的东西——一张护身符咒，上画一尊神像——上面写着：“保平安”。

“皇军”，不但有飞机大炮，而且还有神。只可惜那些神，并不能保卫着杀人魔鬼的活命！我们的胡排长，他既没有飞机和大炮，身上也没有带着神，他只有一颗保卫国土，服从长官的决心，他带着伤口上的血，杀死了敌人！他忍着痛心的泪，守住了他的阵地，夺获了宝贵的战利品！

十月十六日

战场一角的鏖战

胡兰畦

上战场去

说到战场，这个围着几十万人，血肉横飞的地方，实在有点神鬼莫测，一般人对于它都像迷梦似的幻想着。尤其是我的十个小妹妹们，一听到战场两个字，就恨不得生出两只翅膀，飞到那儿才好。

十四日接到幸之电话，约好到战场上去看 × 师长。这个消息给我的十个小妹妹听着了，这个说：

“我要去！”那个也说：

“我要去！”

究竟带谁去才好呢？当那二十只眼睛睁得亮晶晶地望着我的时候。

“亚芬和敏玉去。”我说，“这并不是偏心，因为值日是从小的派起的。”值日是守在家里，大家都不愿意，我们定了一个法规，从年纪最小的派起，她们已经当过值日，所以她们也有先上战场的权利。这时八个人很歉然地都没有话说。亚芬好像很得意地跳了起来，而且她说：“开心得咧！”我拿眼睛瞪了她一下，她把头向下一缩，好像知道自己做了错事一样，一声不响地溜到门前去了。

吃了早饭过后，我们的七个小妹妹照平常一样活泼地出去工作了，为了我要出去，只叫秦队长妹妹留在家里值日。不一会的工夫，幸之同中央社的王先生来约我们，我带着亚芬和敏玉别了秦队长就离开了我们的团部。

广阔的天空，蓝得和海一样，一团团的白云奔腾着正像大海中的浪花。金色的稻穗在漫无边际的田亩中被太阳晒得发光。这种天然的色彩，简直不是人工可以配合。

一路上我们快乐地说着，笑着。可是那轧轧的飞机很不客气地要从我们的头上丢下几个炸弹，我们看见着了炸弹的地方燃烧起来，而且冒着黑色的浓烟。

飞机飞到我们头上的时候，我们马上就分开藏躲起来。忽然我看见我们的王先生蹲在一个地方用双手抱着他的脑壳，我禁不住大笑起来。我对他说："最好请叶浅予先生添画一幅《王先生上战场》！"

"哈哈哈哈！呵呵呵呵！"同伴们通通大笑起来。可是王先生一本正经地对我说：

"不是，因为我怕我的眼镜反光。"

"原来如此！"大家又笑了。

不是战场！

沿路上好像万事都没有一样，我们就专和王先生捣乱。其实王先生是很值得我们敬佩的，因为他是一个真正的文弱书生，他能够有勇气到战场上来，而且还穿着他那一双不便跑路的皮鞋。再回想到那天他冒着雨踏了满身泥污来到我们团部的时候，对他尽责任的这点上，我是敬佩他的。

路，好像无穷尽似的，一直走得王先生面红耳赤，大汗长流的时候，才算走到了目的地点。

“奇怪得很，为什么走了大半天已经到了目的地，我们都没有听着炮声？”我正说的时候，马上来了一个轰隆隆的炮响，好像是答复我一样。

“这个是特别欢迎胡团长的礼炮。”幸之说，“因为 × 师现在刚刚撤下来休息，此地离战场还有相当的远。”

“啊，原来是这样！”我说时，两个小妹妹做了一个怪相，她们想：“上了当了！原来这不是战场！”

看见 × 师长

经过了一种简单的手续，我们拿出了我们的证明书，我们在一间陈设很简单，壁上挂着军用地图，桌上摆着军用电话，安了几把椅子的房内，看见了 × 师长。我从没有看见过这样一个文雅的军人，可是他就是那个富有谋略，身经百战的大将。

在 × 师长那里，我们看见了 × 副师长。大家介绍了之后，我将何先生送师长的救伤包亲手交付给他，他反身就回到房里去写谢片。王先生趁着这个机会，赶紧就向 × 副师长开始他的探访工作。副师长的态度非常从容，他很概括地把这次的抗战从日兵上陆，罗店的几进几出，退守刘行，以及现在蕴藻浜大战的情形，差不多和报纸一样的材料告诉我们，王先生很希望他再说详细一点，但是 × 副师长说："更详细的情形，等一会请师长讲给你们听。"从他的说话上我已经认清楚副师长是一个很精明，很谨严，而且尊敬长官的好军人，在他无形的尊敬长官的举动上，我们并看不出像孔夫子说的"君在，踧踖如也"那样的奴隶样子。

我们来上上课堂

× 师长从房内走出来的时候，王先生又忙着向他探访消息。× 师长微笑着拿起一根细细的，好像教鞭一样的竹竿，他说："好吧，我们来上上课堂。"我们几个人跟着他走到地图面前，真像小学生一样静静地听先生讲演。

"这是江湾。"几只眼睛跟着师长手上的临时教鞭落在地图的一个点上，竹竿已经沿着这一个点往右上边移动指到另一个点上。"这是吴淞。"他说，"本来我们的队伍驻在江湾，奉到命令开一团人到吴淞去打上岸的敌人。第一次一营人伤亡了三分之二。第二次团长上去恢复了阵地，把敌人打退了。当天又奉到命令，叫我们去收复罗店。那时，敌人的飞机正在满天乱飞，炸弹正在疯狂地抛掷。”他手上的细竹竿从右角上的吴淞往下一拉，停在江湾的点上。从江湾点指到大场，沿大场那一条马路线指到刘行，指到罗店，他又笑了一笑，这时我忽然想起了我的地理教师。

× 师长振了一下精神，“我们必须在飞机轰炸之下通过这样长的路线。”他的竹竿又指回到原地来，他很郑重的说，“因为这是长官的命令，我们只有服从。我们以疏散的班排，两排，四排，稀稀疏疏地前进，沿途被飞机追击轰炸，死了兵士二十余人，我和参谋长到刘行的时候，一颗炸弹正爆裂在我们的车子旁边，却没有炸着。到达罗店，正是黄昏时节，我们立刻就以六纵队进占罗店。”他的目光又注意到地图上面，而他的临时教鞭也随着他的眼珠移到罗店的中心点，我们大家都很紧张地听着他的下文。

“这镇内，那时还有一百多敌人，打到天明，就把他们肃清了，还打死了几十个敌人，夺获几十支枪和很多重要文件。占领罗店之后，隔了一天，奉令进占月浦，并要进攻狮子林，就将罗店交予 ××× 师。我们刚刚占领月浦，忽然敌人以大队从后面又来包围罗店，我们只得回兵迎击。在罗店和敌人来往冲突了十几次，大家都受了很大的损伤，第二天，我们撤后，敌人也退了。这时，我接到 ××× 师的电话，叫我向杨行靠拢，当时，我想到如果这条公路守不住，上海就不能保守，敌人可以沿着公路把他们的铁甲车，坦克车一齐开过来，冲破我们的阵地。所以我当夜就把我们的队伍配置在这个地方。”他的教鞭又指到月浦和罗店中间的一个叫新镇的地点上。他说：“在第二天，我接到军长的电话，他说这样安顿，正吻合他的配置。可是在新镇，我们和敌人有过很多次厉害的冲突。”说到这里，× 师长的脸上，显出很愉快的颜色。我们的精神，都被这位专门家教授吸引着了，大家都像置身在战场上一样。× 师长一停他的讲演的时候，十几只眼睛就像小孩子希望大人给糖果一样，惟恐他不拿出来。可是我们的专门家教授，他是不会使我们失望的。他的话继续地下来了：

"我们奉到命令，又去包围罗店的东南西三方面，在那儿我们一直就包围了二十八天。" × 师长把手上的临时教鞭放下来，让我们大家坐回原位，同时他自己也走到桌子旁边坐着，可是的话又陆续地讲下去。

两次悲壮的斗争

"在这次战争中，有两件很悲壮的事情，可以特别告诉诸位。第一件是东林寺的大战，东林寺是靠近新镇不远，三面都是水，地势很高的地方，那儿可以窥探敌人的行动，也可以射击敌人的要点。这个地方有一连人，守了一个星期，屡遭敌人的袭击，班长潘玉林，有一次冲出庙外，用手榴弹打死了很多敌人。又有一次，敌人先用炮击之后，再又用敢死队冲过来。他们的人死得只剩了五个，我们的人也死得只剩五个，而且排长胡玉政还带了伤。敌人有个中尉带着几个士兵，已经冲进庙了，胡排长开枪狙击，可是枪打不响，他当时情急智生，就抓起一把挖壕沟的铁锹，打开了那个中尉的脑袋。除了得到战利品，还得到很多重要文件。" × 师长的话，说得我们的眼睛都望着他的一举一动。我们看见他脸上的肌肉，随时都跟着他所讲的故事的情景变动。说这个故事的时候，他的脸上早已是眉飞色舞了。

副师长，他一直都是带着笑容很有精神地坐着，静听师长说话。

× 师长又说死守 × 宅的故事了。他的态度表现得更是庄严，说到营长雷洪池悲壮地殉难的时候，我们更是肃然起敬。室内静极了，只有 × 师长一个人的声音。

“我们的 ××× 团在本月二日的黄昏过后接守 × 宅，以及 × 宅南段的 ×× 宅阵地，主力构筑 ×× 宅，×× 宅第二线阵地。可是 × 宅的地势不好，工事也不坚，并且和敌人距得很近。当时，我们以第三营的一连占领 × 宅东北阵地，第一营接 × 宅的右侧。第二营为预备队，安置在 ×× 二宅之间。第一营预备队，初初加强 × 宅阵地的工事，其次就筑 ×× 二宅之阵地，掘阵地土的交通壕。

“三日的早上三点钟，有一百多敌人，向 × 宅阵地夜袭。这次我们打死几十个敌人，夺获步枪十几支掷弹筒等等。三日午前十一点钟，敌人利用烟幕弹及炮火之掩护，向我进攻，又是一次壮烈的抗战。敌人没有达到目的，可是一部分敌人就在这天夜里，已经侵进了我们的外战壕，从两端潜进。

“四日，我们用手榴弹对着潜伏的敌人，猛烈地抛掷。打死了三十几个敌人，夺获很多有价值的战利品。其余的敌人，都逃窜跑了，连上留了一排兵力在外战壕中，防备敌人接近。

“四日夜里，该营又增派一排兵力在外壕，敌人又来袭击，我们又打死了二十几人。这时 × 宅北面阵地也有敌人去攻击，又被士兵用手榴弹打退了。可是，这中间发现有东北同胞的口音。

“五日天刚亮，敌人向 × 宅炮击，同时以重战车三十几辆，配合着七八百步兵，用广正面而向我第三营全面冲击。这时我们第七第九两连的炮火失了效用，只有用手榴弹掷放，卒被敌人战车上的机枪和炮火所压制了。第七第九两连的全部官兵通通辗埋在战壕中。当时雷洪池营长，左手负伤，仍坚持指挥四八两连，拼命地和敌人的步兵作最壮烈的格杀。

“敌人的战车像山崩的一样，向我们的阵地轰辗，雷营长第二次负伤，在乱枪之下和阵地一同牺牲了！”

大家的神经都是在极端紧张的情况下听着，几乎连呼吸都停着地听着。直到他的话停了的时候，大家才深深地吐了一口气。

“这次的战争，我们没有什么特点，就是服从长官的命令，我们能够和敌人这样长久鏖战，也就是能够服从长官的命令。”

×师长的脸上，又泛出微微的笑容，我听了他的话，看看副师长，他脸上的表情，也是从紧张严肃的状态变回到微笑了。我们的两个小妹妹，简直像听小说的一样，听得出神了。

为了要看大战东林寺的材料，×师长他把我带到参谋处去。王先生因为要做有系统的特写，他也去了。在去参谋处时，我们只看见参谋主任，才知道参谋长现还在病院中。

从参谋处回到师长的房中，亚芬和敏玉正在高唱抗敌的歌曲。这些歌曲，都大受×师长和×副师长欢迎。他们在军中从没有听着这种悲壮的抗敌歌，而制造这些歌曲的人们，都是为了抗敌的战士们制造。所以结

果 × 师长和 × 副师长都说要小妹妹们去当士兵们的唱歌教师。

四川同乡会救护队真努力

吃晚饭的时候，说到我参加四川同乡会救护队，在罗店杨行的救护工作，× 师长和 × 副师长大大赞赏四川同乡会救护队员们真努力，在在给了他们抗战的斗士许多帮助，大家带着满意的情绪辞别了 × 师长 × 副师长和参谋主任。他们一直把我们送出大门外面，还给我们照了一张照片。握别时，他嘱咐我们常常去谈。

归途中，亚芬长长地叹了一口气。

“唉！大失所望！”她说，“要早知不是战壕内，我还不愿来啊。”

“难道今天听了这多宝贵的报告，还不满意吗？”金敏玉说。

“今天你们把抗战的歌曲直接唱给抗战的将官们听，他们都受到很大的感动，而且又要叫你们去教授那般抗敌的士兵，这也就是你们今天的工作。”我的话还没有说完，农村中的妇女都成群结队地跑到庄子外面来，追着看我们，因为我们上午经过她们的村庄时，她们都知道我们是女的。所以回来的时节，我们才走到村庄，好像通了无线电约的一样，她们大家都围起来了。今天虽然没有到达战场，可是在农村妇女们的心田上，已经给她们下了一颗奇异的种子。她们晓得了，原来女人们也可以穿起军装到军队中做事。至少这天夜里，有很多人要大谈妇女从军的故典，还有很多的少女们，青年妇女们的心也都在想，她们怎样方能够穿起军衣来为国家做事情。我指着那些妇女对亚芬敏玉说："看吧，这也是今天的工作。我们的一把小野火！"她们都快乐地笑起来了。

十月二十日

前线两昼夜

吴大琨

一

淞沪的抗战一爆发，我就有着到前方去视察一下的希望，可是老没有机会。后来，听说是为了防汉奸，战区里竟连新闻记者都不准去了，我更觉得到前方去，恐怕是完全没有了希望。十月十二日的早晨，我正在 × 伤兵医院里工作的时候，忽然有一位 × × 团 × × 营的李营副，特地跑来看我。

“吴同志，我明天就要上前线去了。”

他用一双告别的眼看着我。

“您不是左手的伤，还没有完全好么？”我禁不住这样问。

“是的，可是昨天我们师部里已经有人来过，他说前方缺乏中级干部，同时战事又非常激烈，所以我想，我还是应当赶快上去。反正，我的伤也已经好了差不多有七八分了。”

听了他的话，以及看了他的那种为国家效命，虽死不惜的精神，我不禁对他肃然起敬。

我跟这位李营副，虽然相识不久，可是因为他近两星期来常到我们伤兵俱乐部里来玩，所以大家已经非常熟识。

“那么，我们又要分别了——我恨我自己不能跟随了您们一起上前线去。咱们军人服务的工作倘能与前方也取得了联系，那今后干起事情来，就要方便了。”我说。

“您要去？那容易得很！”他忽然看着我，很快地这样说，“您要去？”他用惊异的眼光看着我。

“当然要去！”

“那您明天跟我一起走好了！”他很干脆地说，“我跟您介绍我们的师长。我们的师长一定会很欢喜看见您这样的青年去的。”

于是我们就谈下去了。

我很兴奋。我从医院回来后，就去与我们全国青年会军人服务部的负责人刘良模君商议，他也很赞同我去。

“好吧，您要去，您就爽性代我们军人服务部向前方的将士致敬一下，并且实地去作一下考察，到底前方需要什么东西，我们可以想法。”

“好！”我一面答应着，一面心里真是快活得想笑出来。

于是我就去开始准备我的行装了。

二

第二天，天一晚，我们就出发到车站去。我带了很多新出版的《抗战画报》，以及《抵抗》等等的刊物。因为听说在前方完全看不到报纸和杂志，所有的兵士们，他们差不多都是很迫切地需要知道一点战事的消息。

可是当天，我们并没有走成，因为日本飞机，在当天曾把离苏州不远的铁轨炸毁了，因此没有车。

于是我们就只能停着。一直到第三天的午夜，营副到 ×× 处去交涉了，才来了一辆汽车，把我们从 ××，带上了前线。

在这辆汽车里除了我一人是穿了西装的普通人之外，其余都是开向前线作战的勇士，因此，当汽车不断地在公路上颠簸震荡飞跑着的时候，我忍不住偷偷地去看那一个个挨近着我的弟兄的脸。

“这些都是伟大的民族解放的战士，——现在是在一步近一步地向前线去了啊！”我心里在想。

可是这些弟兄们自己却好像都满不在乎的样子。

车经过 ××，××，××，然后到达了 ××。

人一下车，车外的夜气，向人身直扑上来，我禁不住打了一个寒噤。

整个的一个 ×× 车站现在已经差不多被炸成一片瓦砾堆了。月光照在那些破瓦断墙上，更显得四周景色的凄厉。

那时，已经是深夜，车站的两旁有人搭了些草棚，在出售零碎东西，也有许多弟兄们在草棚里团坐了烤火。四周黑影憧憧地，有好多的人不断地在公路上来往着。

我先用目光默默地把我们的同车者送走了，然后再跟了李营副也默默地在月光下踏着瓦砾堆，沿公路向前走。

“隆！隆！”炮声这时突然响亮起来了。

李营副回过头来，对我看看，我不作声。

我们在向着炮火的最响亮处走去。

三

在前方黑夜间的公路，是顶热闹的。有陆续开向前方去的军队，骡马军火；也有正从前方开下来的汽车，人马；更多的是在前方已经挂了彩，这时要乘黑夜走向后方伤兵医院去的弟兄们。

我这时才发现，我好像是完全置身在另一世界里了，前面是不断的枪声，炮声，四周是来往不断紧张地走着的士兵，军队。

“唉，同志们，做做好事啊！”

一声凄怆的呼声，提起了我的注意。看时，原来是一个已经被打断了腿的弟兄正在地上用手爬着，要走向后方去。泥、血涂满了他的一身。他显然是在向四周过往的人乞怜。

“怎么？”我不禁惊呆住了。

“在这里前方，就是太缺少了担架夫。弟兄们受了伤，有些师部里，自己有担架连的，还好，倘没有的话，那就简直只好自己走向后方去。打坏了手的还可以，倘是打坏腿的，像这样，那就太惨了。”李营副跟我解释着，我的心里感到一阵痛。

四

走了二十多里崎岖不平的泥路荒地，又不知问了多少次讯，这样，我们才到达了 ×× 师的师部。

哨兵进去传讯，过了好久才出来。

“师长到最前线督战去了，恐怕要明天才回来。请您们先到参谋处去坐一会吧！”

于是我们就被领到了参谋处去。

黑黑的房子，显然里面的人已经都睡了。可是进去一看时，才知道并不然。

参谋长，人是已经躺在床上，可正忙着打电话：

“怎么？敌人又用毒瓦斯了么？……是呕吐性的？好。”

我凭借着参谋长床前的一支烛光，可以隐约地看见参谋长当时紧张的脸。

电话打完，参谋长的目光才放到我们两人的身上来，李营副上去致敬礼，又跟我介绍了。

“啊，难得，难得！您们后方的民众竟这样热心，勇敢。请坐。”参谋长这样对我说着，又把目光放到李营副的身上去。

“怎么？您的伤已经完全好了么？”

“还没有。不过，我在医院里听得师部的人来说，前方缺少中级干部，所以我就上来了。”

“好！”参谋长正想说下去，电话又来了，就打断了话头。

我利用这机会，就向四周看了一看，这是一间很破烂的旧房子，仔细嗅时，还可以嗅到地上霉烂的气息。

“前方，这几天正紧张，敌人的中央突破计划，因为不成功，又在用毒瓦斯了，我们伤亡了很不少，您们那一团——”参谋长说到这里时对李营副看了看，“已经差不多完了，不过敌人的牺牲，恐怕比我们还重。”

“差不多完了”，这五个字在我的脑海里震了一震。看李营副时，他还是那么很恭敬地站着。不过，我从他的目光中，我知道他这时心理的状态。

又过了一会，李营副就向参谋长说明他还得回团部去。

“这位先生也跟去么？”参谋长问。

“是的。”我说。

于是我们就向他告别了出来。

五

从师部参谋处出来，表上的时针正指着午夜四时。我的心比先前更紧张了起来，因为我知道，我现在真在走向最前线了！

经过一条小河浜。

我们道路的四周，都是稻田与棉花田。稻田里的稻子已经都熟了，结着满满的穗子。

在月光下照着这许多景色，倘不是头顶上有呼呼的炮弹声，与四周“阁阁阁”的机关枪声，是决计不会想到我们是在前方的。

后来，我们就到了团部。哨兵进去传讯，手续跟在师部里时一样。

见了团长，我因为刚才在师部已经听到敌人用毒瓦斯以及该团伤亡颇重的消息，所以就急着问团长详细的战况。

“啊！说起来真令人又伤心又兴奋！”那团长说，“我们一团人是大前天来接防的，当时共有弟兄一千三百余名。打了四昼夜，因为敌人不断的用飞机，大炮猛攻，伤亡得就很厉害，已经只剩八九十人。而且武器也都不行了，昨天一天，弟兄们在壕沟里就已经差不多完全只靠掷手榴弹将冲过来的敌人击毙。八九十人，一天共用了两千多手榴弹。敌人因为攻不过，所以最后就终于改用毒瓦斯，我们不及防备，这仅存的八九十人也就因此牺牲了。可是，”团长换了一口气说，“我们的阵地始终没有动。而且最令人兴奋的，就是当敌人又冲过来的时候，我们有四位仅存的弟兄还依旧不退，用手榴弹将冲过来的敌人炸倒，自己又冲出壕沟去将敌人的轻机关枪四架夺了过来，再就将这四架枪倒过头来打敌人。”

“啊！”我这听的人不觉为这壮烈而又英勇的故事所震动了。

“我们这一次的弟兄可真是太好了！他们每一个人都勇往直前的，和敌人死拼。想想这许多好弟兄都已经牺牲去，真有些伤心。”那团长说到这里时，脸上表现出很痛苦的样子。

他已经四昼夜没有睡。因为亲到壕沟里去指挥，那时敌人所散放的毒瓦斯还没有完全散，中了一些极轻微的毒，有些感到头痛。

因为时间的过迟，那天我就与李营副一起在团部的稻草堆上过了一夜。

六

第二天一早，团长因为知道我欢喜到阵地上去看看，就命一位团副陪了我一起上阵地去。

我们先走进了交通壕，然后就逐步地走近火线了。

在壕沟里伏着的弟兄们，都禁不住用惊异的眼光向我看着，他们想不到有这样一个后方来的人真会跑进火线。

我将带去的《抗战画报》等散发给他们。他们就站在自己的岗位上，看将起来。显然地，他们对这些画报都感到了很大的兴趣。

“您看，您看，这是我们将他们打下来的飞机。”一个士兵指了一张图给另外一个士兵看。那个士兵感到了满足。

是的，在前方，差不多大家顶恨的就是敌人的飞机。它们晚上不出来，只要天一亮就嗡嗡地到我们的阵地顶上来乱飞乱轰，要飞一整天。

“您看，这是敌人的系留气球。”

团副用了一架望远镜，让我看。我向敌人阵地看去时，果然看到一个气球在敌人阵地上浮着。

“在这气球上面，有着敌人的瞭望台。他们的望远镜很好，差不多我们阵地上的一动一静，他们白天都可以看出来。看出来后，他们就指挥大炮飞机来轰炸。”

“我们没有办法将他们的气球打下来吗？”我说。

“有，当然有。就可惜我们的空军到底还是太少了。”

这时突然有一颗大炮弹自敌人方面打将过来，震得整个的战壕都动荡起来。沙包里的沙掉下来了，人也禁不住向四周摇摆。

“好厉害！”我说。

“作战激烈时，前方的战壕一天到晚都是这样的，所以睡在战壕里，就像睡在钢丝床上一样。”

“睡在钢丝床上！”我不禁为这个好譬喻笑了。

我仔细观察我们阵地里的壕沟。工事可说是都做得非常好的，就是有的地方已经都积了水，弟兄们简直有的就站在淤泥里，水浸到他的半腿。

“如果下雨，怎样？”我问团副。

“下雨还不是直淋？我们弟兄们都没有雨衣，倘后方能给我们捐些雨布来，那倒是非常好的。因为我们既可以包东西，又可以遮身。”

“是。”我答应着。

这时，离我们不远的壕沟里，枪声忽然紧张起来了。

我们可以嗅到很浓烈的火药气。

“我们回去吧！”团副说着，就半强迫地将我又带回了团部。

七

整整的一天，我都是在团部里过的。

我跟那些弟兄们，乱七搭八地讲着，到晚上飞机不时的来轰炸，耳边的嗡嗡声与炸弹爆发声，就不曾停过。团长因为我是远客就特地叫勤务兵烧了几样菜，请我喝酒。

“这里，白天就简直不能煮饭。敌人一看见那里有炊烟起，飞机就又来炸了。”

团长对我解释着，我那时已有一天多没有吃过东西了。所以虽然勤务兵拿上来的馒头与饼，是那么又黑又粗，我吃的时候，还是只觉得它的甜美。

“这是前线的生活！”我心里想着。

那天晚上，吃过饭，我觉得我应当走了，就告别了团长，团长还是命团副将我一直送到了师部。

到师部时，这次师长已经回来了，所以就很容易地见到了师长。

“昨天，我到前线去督战去了，没有见到吴先生，抱歉得很，吴先生这一次真是辛苦了。”

× 师长说着。

于是我们就开始了谈话。

我将我这次的来意向 × 师长说明后，× 师长又接着说：“啊，慰问是不敢当的，抗战是我们军人的天职。这算不得什么。我们前方现在也不需要什么，倒是你先生带来的那种画报，弟兄们确是很欢迎。以后有便，请不时带些来。东西只要交到我们师部在后方的留守处就行了。”

× 师长讲话时的态度是很和蔼的，而且两目炯炯有神，坚决地表示了他这次作战一定胜利的信心。

“至于这里的作战情形，有许多地方，现在还不便说。可以告诉先生的，就是敌人所依仗的就只有炮火厉害一些，可是我们并不怕他。最近这几天我们正打算反攻它，看上去敌人是支持不住的。至于我们这里的弟兄，作战的勇敢，那更是不用说的了，先生想来一定已经听到我们有一团里四位弟兄牺牲到最后，还守住自己的阵线，将敌人的机关枪夺过来的事情吧？”

我点了点头。

“敌人的士兵就不行了，差不多没有一个人真是愿意作战的。不过，看上去好像敌人的督战也颇严厉。所以有时候，敌人冲上来，给我们打退了，也总不敢十二分退远。恐怕退下去也得打死的。”

为了怕耽误 × 师长的工夫，所以不久，我也就向 × 师长告别。× 师长很热诚地将我送出师部，然后他又回前线去督战去了。

在归途上，有两个勤务兵送我。时候又已经是深夜，我一边踏着自己的影子向来时的路上走去，一边心里不禁发生了很大的感慨。

这次淞沪作战，士兵，将士们是确是已经尽了他们的最大的责任了，虽然他们的物质生活是那么地困苦。防毒面具不全，雨衣没有，火器又不够，可是我们民众方面呢？前线担架夫的这样缺少，要使受了重伤的伤兵们还不得不忍着痛在地上爬回去，那未免太讲不过去了。

我在打算着回去后，怎么使得我们的后方工作格外加紧起来。

二六，十，二十二，前线归来之第三日

走向东战场

梵　戈

一　第一颗炸弹

正仪怎样？唯亭怎样？东战线序幕之第二天，这问题就普遍地为苏州民众关怀着了。

这样情形之下，汉奸的造谣更是大好机会，于是正仪车站被炸毁，唯亭车站被毁的谣言替代了“怎样”的答案。

为了明白这个“怎样”起见，在秋雨濛濛中，记者赶着 ××× 师开赴前方的便利，跟雄赳赳的队伍一起踏上征程。

江南的秋天是没有一点肃杀之气的，给人的感觉真如春日一样温和，细雨濛濛笼罩了广漠的原野，将要枯黄的树叶经过雨丝的湿润，又似含着一点活意了。生活在黄尘蔽天或风沙遍地里的官佐们，对着窗外江南秋之绮丽，似乎忘记了跋涉的苦痛，行军之疲劳；带点欣赏风味，默默的大家把眼光放到天的尽头凝视着。

车过唯亭，忽然发现飞机一架，在阳城河上空往返盘旋，因飞行过高，而且距离也相当的远，一时颇不易辨认出是属于那一方面的。一个部队在行进之中，对于这种“遭遇”本相当地头痛的。幸而飞机仅有一架，而目标似并未注意到我们的列车。

飞机，这二个字给了车中官佐们不少的兴奋，等那个翱翔在天空的灰白点子消失之后，车中开始了议论。

“你说，这个飞机是那方面的？”

“日本的！”

“凭什么理由说它是日本的？”

“哪里有自己的飞机侦察自己的土地的道理！”

“唔！”

士兵们也在讨论适才的事情，那些朴实淳厚的脸孔，却从说话中闪现了他们对于敌人理解的程度。

“汉口给他们逃跑了，妈的，这回在上海，才赶上呢！”

另一个士兵一边在整理他的草绿色帮腿，一边在咕噜着。

“同志，为什么给他们逃跑呢？”

“没有种，不打就走了，上头命令让他们走，有什么办法！”

“有什么办法”，最后这句话有点感慨，也有点愤怒。

正仪怎样？唯亭怎样？到昆山以后才得到了一个正确的答案，原来敌机在唯亭车站投下的二枚炸弹，一枚落在荒田之中，一枚落在唯亭车站北面二里以外的阳城河中。正仪唯亭依然无恙，而在东线后方首先遭难的，要算阳城河中的一些虾兵蟹将了。

二　昆苏道中

爬上了难民列车，难民列车停靠在正仪站上有四个钟点，从苍茫的薄暮至于朦胧的黄昏，向东行的车子虽过了好几趟，我们的车开行时间，依旧渺渺茫茫，飞机袭击的危险，料峭秋风之威胁，使每一个人心头浮起了一点阴影。

“问站长去！”

“问站长去！”一片问站长去的提议之后，有几个人走向站长室，但站长的冷漠回答是“前头路不通”。等到再想追问一句，摸的较清楚一点，而站长却悠然地踱回了卧室。

好容易挨到十二点钟左右，车才从正仪站开出，那时大家唯一的希望是天明之前，还能到达苏州。谁知行了一站，到唯亭又停靠下来，一停又是二三个钟点，从子夜起，天又洒着潇潇的秋雨。铁篷车没有客车一样的设备，一下雨，那就更糟，一大部分人只好让风雨欺凌。没办法，再去问站长，站长拼命向前一站要路签，前一站只是支吾其词。看情形只得在风风雨雨的茫茫之夜，硬拼那么一夜的了。

欲速则不达，眼前的环境不能不叫大家改变了人生观，于是，能走则走，不能走则睡，这想头通过了大家。再于是，车中能够隐蔽风雨的就车中打起呼噜，车中无法可想的搬到站房里卧倒身体，让风雨欺凌着这些破碎的心，击撞着这些被伤的“丧家之犬”。

朦胧中，忽然听说外跨塘中了汉奸埋的地雷，叫各处车辆慢慢的开出。急忙跳起来向各方面打听，结果所谓地雷也者还是车站职员犯了幼稚病所闹出来的喜剧。原来靠近外跨塘站附近的农家小孩，把几个作为玩具的泥像去埋在沿路的泥中，泥像手足伸展在外面，而埋泥像所在又不免有点坟起，这一来，巡道夫把它认作了地雷，而把伸展在外面的泥像手足认为地雷的药线。不敢去碰，又不敢临近，赶回去一报告，于是这一幕幼稚的喜剧就顺利地成长了。幸而经了路警去调看之后，立刻证实，喜剧不致于成了一幕悲剧。

喜剧结束时，天色已近于黎明，经站长的几次交涉，才讨到了一支路签。车开到外跨塘时，站长室畔正围了一堆人，在议论他们夜来的喜剧。

被风雨欺凌了一夜的难民，至此也开始活动了。买炊饼，买粉糕的不一而足，也有些围在站长室之前，探听着他们流亡后的家乡状况。一个难民偶然踏进了站长室，立刻被路警抓了去。

车近于十时到苏州。

三　天堂的幻灭

苏州天天遭受敌机轰炸。那一天早晨还有一点雨意，而到下午，天气忽然特别清朗起来，真有一点秋高气爽的风味了。二点钟，敌机二十三架结队来袭。当时被轰炸的地方是老五团与飞机场二处，一共死伤了三十多人，然而敌人所给付的代价，除了二十多炸弹之外，还有一架飞机，二个战斗员。其间一个战斗员在危险时用降落伞降落在附近的稻田之中。

一种胜利的兴奋使市民暂时忘记了不安，“看飞机去！”一部分爱热闹的群众大家又踏上了风沙扑面的马路，被冷落了的盘门，这一天在大家记忆里忽然活跃起来。

飞机落在距离机场一百码左右的原野里，机身大部被烧毁，剩余的只是几根零落不全的残骸。机上所有的番号，已被警察局方面派人取去，几个弹下余生的保安队士，面上沾满了泥，向人叙述着投弹的情形及击落一架的经过，另几个影子在原野中闪动，他们在找寻着同伴的尸体。

“我们发现敌机的时候，一排人就分散开来，伏在田塍上或沟里，尽可能的把身体掩护起来。敌机一来就开始投弹，轰！轰的一下就是七八个，我们伏在地上，动也不动。炸弹，那家伙真厉害，落在地上，地上就是一个洞，污泥溅的半天高，我们大伙儿的面上，谁不溅沾了泥？妈的！后来，我们的一个弟兄，被弹片打死了，想为他报仇，可是几支毛瑟枪，那有用？谁知敌机盘旋了几周，见我们没有动静，放大了胆，突然低低飞下来，离开地面只有几百尺，我们大家暗暗地招呼着戒备。

“后来，有五架敌机又下来投弹，当他们直降下来的时候，有一架连人都给我们看的很清楚，于是我们不约而同的来了一个‘密集射击’，不知谁的一颗子弹打中了他的汽缸，汽缸破裂了，机中的一个人当场炸死，一个人伤了一条腿，从机上跳到稻田里，中了两枪。可是，我们也牺牲了好几个弟兄！”

静静的，在这广漠的原野之中，许多人都静静的听他报告英勇的战迹。说到最后的一句，眼中含有晶莹的泪珠了。

“不要悲伤，死了一个人，我们无数的人会作你们的后盾，我们无数的人会为你们报仇，鬼子的牺牲今天比我们还大！”

群众之中，有人答复了弟兄的说话，眼前的一幅图画，又从悲壮而转到肃穆。这时他们的一个长官也得信，从田塍上迂回地爬过来。

“你们不要灰心，死一个军人算得什么！？能够在这一次争民族生存的战争中死去，应该是光明的，你们要继续着死去弟兄们的精神，努力下去！”

“是的，队长！”

弟兄们保持了一个立正的姿势。

天气将近苍茫，大部分人陆续爬上了归途，忽然嗡嗡之声，又发现在上空，抬头一望，糟了，九架敌机又分作三队来光顾了。大家只得四散的卧在附近的田塍之上，这一次，盘旋有一小时以上，一共投了二十多个炸弹，地面上所受的损失是几十码地的青草和一些虫豸，倒是善长巷给炸了一家旅馆，还伤了几个人。苏州这一天晚间警报没有解除，电厂停止发电，寄托于电气发动引擎的工业，也连带停止了，当地几家较像样的日报，第二天直到下午三点钟才出版。

天堂的绮丽，在敌机之威胁下面幻灭了。

四　劫后吴门

静静的太湖之滨，三十二架飞机一光顾，也卷起了滔天的巨浪。苏州经着这次的袭击，不得不变质了。许多绅士淑女，赶快溜之乎也，流连乎灵岩邓尉之间。一般人民大包小包，扶老携幼的塞满了一街。一种流亡离乱的滋味，实在令人觉得凄惨。

敌机七八次的进袭，大小不等的炸弹甩了一二百，全苏州仍找不出几个地方有被炸的遗迹，一部分市民才感觉到飞机之威胁也不过如此。另一些人，尽有逃难的充分理由，然而逃了出去那里弄饭吃，也是一个问题，不得不硬着头皮跑还来了。到目前，白天的观前街似乎并不荒凉，只是再没有从从容容的好整以暇，显然的，人们的步子加大了不少。

这儿群众的救亡运动，因苏州之变质而高涨了。但是所谓工作，大部分是做在标语口号上的。在苏州，满街满巷全是各种五颜六色千奇百怪的标语口号，旧的未褪色，新的加上去。各界抗敌后援会主要的工作也是在宣传，最是使人不忘的是发行壁报，这种壁报是每天收听无线电报告的几条战事消息，抄录了托印刷所石印，翌晨分贴四处，其实这东西主要的关系还是在表现了抗敌后援会的所谓工作。如果说报道消息，则买几张当天的日报贴贴，内容一定丰富的多了。人民团体方面，在形式上也是相当热闹的。

关于难民收容与伤兵救护这方面，这由红十字会为主体的救护委员会负责的。难民收容所中成千成百的难民，毫无秩序生活在一起。既不设法转送后方生产，又不计划加以训练分发服务，人渐渐多，于是把每天规定的两饭一粥，减作二粥一饭。伤兵救护最热心的是一班中下阶层的民众及青年知识分子，然而在物质方面还是相当地缺乏。

五　变质了昆山

车到昆山，正逢到了敌机轰炸的时候。

昆山，这是长江流域旁的一个小县城，介乎太仓、嘉定、青浦、常熟、苏州的中心，它是归有光、顾亭林两先生的出生地。

这里，尽管有闲阶级如何逸乐，如何追求物质上的享受，但是诗一样的环境，它永远保持了乡村的优点。市民们永远在过着他们悠然的生活。“一·二八”时虽然间接的遭受了不少损失，很快就被恢复了过来。谁想得到，这次民族解放战争中，它又遭受了空前的劫难，它支出了争取自由的最大代价。

敌机的不断地轰炸使昆山改变了悠然的生活了。平日最热闹的南北大街，至此已无一人，城中居民大部迁到四乡，只有西门东门二处，还有一点市面，但只限于早晨，一到下午，街上也会静静的不见一人。昆山的邮政局，最初迁到西门，后来不知迁到那一个村中，寄信发电，几乎全成了问题。

县长温崇信先生，是复旦的学生，年龄很轻，也很有朝气，在这样苦难中的昆山，行政组织还能不十分紊乱。差一点的是民众组织这方面，城内尚有一些防护团之类，乡村小镇之间，根本就不知道民众组织是什么东西。

乡村的民众组织，接近战区的各县，几乎犯了同样的症候，不仅谈不到组织，连起码的防毒常识，也都莫明其妙。敌机过境时，聚在一起观望的也有，拍手狂呼的也有。从都市的人民渐向乡村迁移之后，乡村也成了汉奸活动的对象。今天有一个和尚来打听 ×× 的情形，明天有一个乞丐探问 ×× 的驻地，几是不足为奇的。有些较清醒的人民虽知其来路不正，但一来怕他身边有武器，二来又觉得事不干己，眼睁睁的看汉奸自由自在地来去。

昆山城中的汉奸问题，也闹的相当严重。记者到昆山的那一天，有一处因敌机投弹而起火延烧，消防人员前往施救时，竟有汉奸混入其中，将水龙的喷射器毁坏。幸经当场发觉，将其捉住。另一个汉奸在大庭广众以药水倾入茶缸，也当场被捕，更有一个用白毛巾指示飞机投弹目标，因当时未发觉，卒被脱逃。当局方面在设法使除奸工作有新的发展，但这不仅是技术上的问题，如果不将保甲制度办好了，收效是相当困难的。

六　太仓的浩劫

上海的战事向外扩展，敌兵结集于浏河杨林诸口。浏河一吃紧，日本的飞机就光顾了太仓城。八月的下旬，太仓的民众们在仓皇中，被敌人的炸弹赶上了流亡之路。昆太路上，一群群男女老幼开始了颠沛的生活。

记者到太仓时，太仓城内除了少数公务人员之外，居民已经逃亡殆尽了。城内，东一处是被炸的陈迹，西一处是被炸的陈迹，弹洞与弹疤，到处可见；太仓的县政府，县党部，警察局，都已遭到了敌机的轰炸。

战争发生以后，未遭轰炸以前，太仓方面的救亡运动，在党部的领导之下，表面上也做过不少，但一遭轰炸之后，居民十室十空。对于乡村的行政，这以后推行也感受着相当不便，原因是平时的政治组织机构，一直沿袭了老法子，通常推动已经很觉吃力，突然来了一个战时，老法子那里会运用得好呢？

太仓的省立师范，那是昆太嘉宝青等八县的最高学府，在这儿，每年可以训练一批优秀的师资，延续着这八县文化的历史，战后的这八县却首当其冲，直接间接的损失受了不少，这个学府的恢复，短期内是相当困难的。

然而敌机的宝贵教训，也击破太仓人民不少的迷梦。他们认识了自己的敌人是那一个，在茫茫的流亡途上，记者听见好几个太仓人民，在切齿痛恨日本帝国主义！一颗炸弹抵得住一百篇宣传文章的！

那时在太仓一带的驻军是 ××× 部，他们的全部队伍担任了浏河的正面守御。黄昏朦胧中，浏河方面的炮声密如连珠。记者赴 ××× 访该军的陶处长，详谈浏河方面的战事。

十月二十七日被记于上海

在北新泾火线上

征　雁

从十月二十七日晨七时起，敌机狂炸沪西的当儿，周家桥镇是毁灭了！火在狂炽，建筑物在倾圮，消灭；难民一批一批的躺在血泊里，断头，裂肢！惨，惨！整个是陷入恐怖，紊乱，惨呼，哀号，悲愤，怒骂的空气里。逃，逃，可怜的众生，一大群，一大群，但是，逃到那里去？上面的大队敌机，不是丝毫不肯放松的在扫射机枪吗？

这一刹那，不知有几许的同胞，没了家，亡了父母妻儿，离散了骨肉！

然而，敌人的残暴，是终究只能造成我们抗战力量的孳长的，而绝不会使谁气馁。下面，一个值得记载的故事。

*　　　　*　　　　*

“先生！你能介绍我当兵吗？我气死了，这东洋鬼子！”一个挑着箩担的诚朴的乡人，前一箩是躺着一个小孩及被包，后一箩则是一些衣服和什物，他淌着热泪，脸上满堆愤激的情绪，以十分恳挚的态度，跑拢来对南垙放哨的我们说。

“先生！我的家被东洋人丢的炸弹炸掉了，我的父亲，妻子，和一个八岁的儿子都炸死了，剩下来只有我和这一个三岁的孩子了；那么，我还做什么人？但是我不能去寻死，我要报仇，我要当兵，我要杀鬼子……”他继续说。

我们对着他打量了一回，检查了一回，实在，我们太仔细了些，而他则确实是一个诚朴勇毅的乡人。

“当兵是很危险，是要死的！”我们的答语。

“怕死，狗养的，我一定要当兵。”他在发着坚决的誓言。

“小孩子你愿意抛弃吗？”

“那算什么！让红十字会去摆布好了。”他答。

在小孩的哭声里，在红十字车把这失了父母抚养的孩子收拾去后，他整理了一下被包和衣物，跟我们到部队去见官长。

“你受过训练没有？”

我们的官长问。

“没有。”

“既然没有，你必须受训，方才可当兵，但这里没有你的机会。现在我们这里缺一个伙夫，叫你义务担任，并且时常叫你搬运重量的东西。这样，你同样可以报仇，因为我们杀敌，你们是帮助了我们。你愿意吗？”

“愿意。”他毫不犹豫的回答了我们的官长。

于是他从那天起，便在我们的队里很耐苦的服务了，他成了我们的同志了。

可敬的老百姓

往常，我们做工事，临时征用伙夫，老百姓们总是充满着军阀时代“拉夫”的恐怖的感觉，所以遇到我们去向他们要求“帮忙”，他们总显着有些不愿意，推说这样忙，那样有事，可是这一次在沪西——北新泾却不然了，他们非但谁都没有显着不愿意，且都自动从四处赶来。

二十八日清晨，我们奉命赶筑 ×× 桥的工事，所以在先前一天的傍晚，向各村未曾搬家的农夫店伙们去征伕子，但是不到一个钟点，在这样破碎凋零，殆陷毁灭的村镇上，征得的伕子已供过于求。原来他们一闻风讯，便来踊跃参加。有的从二三里外的村落赶来，问驻军，问我们："还要伕子？还要伕子吗？"

工事因而在未到预定时间已筑成了。

但是，参加工作的老百姓们，辛苦了足足九个钟点，看他们都背疼，腿酸，但是他们还是不愿意离去，只是问："还有工事吗？还有工事吗？……"虽然，炮声在响，流弹在飞。

终于，因工事已完，他们很怅惘的，只得离我们回去。

啊！一群可敬的老百姓，他们是在敌人的炮火和炸弹的洗礼中惊醒了，认清敌人了！

忠勇的黄包车夫

在 ×× 师的部里，有一个忠勇的黄包车夫，他是泰兴人，他的名字叫张友富。

他的家住在闸北，“八 · 一三”战起后，他的家毁灭了，他的车子不能拉出安全区域，同时，他也不愿意拉出；他只是很勇敢地，投在我军的 ×× 师的部队里，当一个担任运输的佚子。

他的飞毛腿，本来在平日是锻炼得很好的，可是他替我军服务，是显着格外的敏捷，迅速。只要是二三百斤重量的燃料，粮食，他总能一拉就跑，飞也似的。他是那样起劲，昼夜工作着，从没有说过一声“苦”，也从没有偷过一分钟的懒。

他说：“我是江北人。江北人的苦力，人家说，多为敌人利用做汉奸；但是我却要替江北苦力雪耻，我要做个忠勇的江北人。”

一个日本间谍

二十九夜，我们在 ×× 桥的后方防地上，发现一个日本间谍，潜在我们的阵地刺探军情，被我们缉获。

他化装了一个叫化子模样，上身穿着破衣服，但下身却穿了一条旧黄呢军裤；从这一点上，被我们看出了破绽。

把他带在部队里，经过我们一番严厉的威吓审问，可是他始终不说一句话。当然，我们的威吓，是只限于威吓，决不像敌人，连把我们的难民伤兵掳了去，也要施以惨酷的残杀。

“支……那……火……烧……鬼……”他受不了我们一再审问的麻烦，他于是在接连的骂我们了。

威吓既不能使他说一句话，当然只有用和蔼的态度，和柔的语言，去继续对他审问了。

一个熟谙日语的同志，他用了十足感化的口吻，对他说明了这样的意义：

“日本朋友，我们非但不至对你伤害，而且同时也不会对你加以怎样难堪，你可放心，你在这里会永远受到我们的优待，你的生命是永久安全的。因为我们的仇敌，是你们日本的军阀，正和你们因着军阀的蹂躏，压迫，不得不抛弃了美满的家庭，甚至毁灭了家庭，而到我们中国领土来作无意义的，惨酷的战死一样。但是必须你有诚意来做我们的好朋友，便是不要供日本军阀作无谓牺牲，和认清你的敌人是谁。我们问，你要诚实的回答。你是做什么来的？你担任怎样工作？你们队伍里的情形怎样？弟兄的感想和生活怎样？你的感想怎样？你叫什么名字，那里人氏？……”

他听了这一番话，脸上突然显示了愉快的感觉，竟毫不滞思的，极流利地滔滔说起来：

“我叫野藤春夫，名古屋人。

“我确实是到贵国防地侦察军情来的。

“我是一个义务的警备兵，但我是早稻田的大学生，测绘地形，侦察阵地，都具有基础学识，所以无须经过紧急训练，我便适宜于担任间谍工作。

“你说我是你的好朋友，那正是好朋友，但是我们没有办法，只得忍受压迫，供候驱使，来和你们反友为敌。我们想反抗，可是没有反抗的机会和环境。

“队伍里的弟兄，是没有一个不厌恶战争的，对战地的生活，也没有一个不是感到不能忍受的痛苦的，尤其是有很多的日子，要枵腹作战。

“在我当然是感觉军部的政策是太错误，太使人憎恨；不过，像我这样反对穷兵黩武，在军队中究竟是仅一部分，因为军人的思想是太笼统，太简单，是始终被王道的法西斯主义霸占着；但是，他们是都被‘战死’的威胁，而动摇了强蛮的心理了。……”

……

说毕，他又对我们表示了一下感谢的美意。

等一忽儿，官长下了二条命令，一条是叫队员妥适的优待他，另一条是：“明天把他解到支队部去，转总指挥部核办。”

从这个日本间谍的坦白供词里，我们已可见到敌人内部的反法西斯气焰，是如何高涨了，和敌军的所谓“士气”，是怎样的溃沮和涣散了。

战士们的希望

在北新泾前线的忠勇的战士们，他们的脑海里，都深镌上这样一种热烈的希望——希望上峰有命令迅速反攻大场。因为他们的观察是不反攻则罢，一反攻定能将大场克复，大场克复了，他们不难重复回到第一道防线上去杀敌，所以他们渴望着向苏州河北去冲锋的命令，但他们却感觉到，死守在苏州河南，太是苦闷的一回事了。

举个例，当某一次，在我正阅读报纸的时候，便有一个老乡跑拢来问我："同志！今天报上有没反攻大场的消息？我们等得心焦极了。"接着他又说："这里的空气太闷死人，如果我们能克复大场，恢复第一道防线，我们虽死有什么不高兴呢？……"

在一日的深夜，我们的队伍离开了北新泾，而移防在与先前相距约三里的后防阵地上。

三联经典文库第二辑简目

《游击战教程》　明凡 / 著
《游击战术纲要》　陶剑青 / 编著
《汪精卫卖国的理论与实践》　钱俊瑞 / 著
《抗战以来》　韬奋 / 著
《陕行纪实》　楚云 / 著
《随军散记》　沙汀 / 著
《被日寇囚系半载记》　王研石 / 著
《倭营历险记》　房沧浪 / 著
《活跃的新西北》　田影 / 编著
《保卫华北的游击战》　刘清扬　陈北鸥等 / 著
《徐州突围》　《徐州突围》编委会 / 编
《沦亡的平津》　长江　小方等 / 著
《淞沪火线上》　胡兰畦等 / 著
《瞻回东战场》　长江　罗平 / 著
《东线的撤退》　胡兰畦等 / 著
《抗战中的西北》　徐盈 / 著
《鲁闽风云》　徐盈等 / 著
《西线生活》　西北战地服务团集体创作

《中国解放区见闻》　［美］福尔曼著 / 朱进译

《全面抗战论》　潘汉年 / 著

《日本的间谍》　范士白自述 / 尊闻译

《日本大陆政策的真面目》　国难资料编辑社 / 编

《民众动员论》　李公朴 / 著

《中国外交史》　钱亦石 / 编著

《太平洋军事地理》　蒋震华 / 著

《世界经济地理讲话》　思慕 / 著

《列强军力论》　［德］马克斯 · 威纳尔著 / 宾符　仲持　梅益等译

《近代国际关系史》　张铁生 / 著

《太平洋现势手册》　沈志远　石啸冲 / 编著

《近代世界政治史》　钱亦石 / 著

《从战争到和平——一九四五年的世界政治》　乔木 / 著

《战后日本问题》　思慕 / 著

《最近一年间的国际动态（1946.7–1947.6）》　《东北日报》社 / 编

《论政党》　翟放 / 著

《法与宪法》　韩幽桐 / 编著

《中华民国宪法刍议》　罗家衡 / 著

《民主 · 宪法 · 人权——作之民》　费孝通 / 著

《宪法论初步》　潘念之 / 著

《对反民主的抗争》　韬奋 / 著

《农村改进的理论与实际》　江恒源 / 著

《上海产业与上海职工》(上下)　　朱邦兴　胡林阁　徐声 / 合编

《陶行知教育论文选辑》　　陶行知著 / 方与严编

《中国通货膨胀论》　　杨培新 / 著

《中国及其未完成的革命》　　H·普拉特著 / 蒋天佐译

《中国的建设问题与人的训练》　　卢作孚 / 著

《论中国特殊性及其他》　　艾思奇 / 著

《中国经济问题讲话》　　钱俊瑞　徐雪寒　王渔邨　姜君辰　骆耕漠 / 合著

《中国经济的道路》　　许涤新 / 著

《中国财政之病态及其批判》　　孙怀仁 / 著

《官僚资本论》　　许涤新 / 著

《五四运动之史的评价》　　陈端志 / 著

《中国通史简编》(上下)　　中国历史研究会　范文澜 / 主编

《论文学的工农兵方向——读〈在延安文艺座谈会上的讲话〉》　雪苇 / 著

《中国近代史(上编　第一分册)》　　武波 / 编著

《文学百题》　　傅东华 / 编

《中国史学之进化》　　周谷城 / 著

《论民族形式问题》　　胡风 / 著

《论批评》　　荃麟等 / 著

《中国史纲》(第一卷上下、第二卷上下)　　翦伯赞 / 著

《近代中国思想学说史》(1-4)　　侯外庐 / 著

《中国政治思想史》（上下）　吕振羽 / 著

《中国哲学史纲要》　向林冰 / 著

《中国政治史讲话》　钱亦石 / 著

《中国社会经济史纲》　王渔邨 / 著

《新财政学大纲》　千家驹 / 著

《太平天国革命运动论文集——金田起义百周年纪念》

华北大学历史研究室 / 编

《理性与自由——文化思想批评论文集》　胡绳 / 著

《战斗者的诗人》　黄药眠 / 著

《国语文法》　曹朴 / 著

《教育哲学》　张栗原 / 著

《妇女问题讲话》　杜君慧 / 著

《婚姻 · 子女 · 继承》　沙千里 / 著

《性教育新论》　布士克　雅各生合著 / 董秋斯译

《狱中杂感》　杜重远 / 著

《七人之狱》　沙千里 / 著

《爱迫生传》　伍况甫 / 译

《歌德自传》（上下）　歌德著 / 思慕译

《尼赫鲁自传》　［印度］尼赫鲁著 / 毕来译

《列宁传》　［苏］凯尔任采夫著 / 企程　朔望译

《罗斯福总统传》　C. Mackenzie 著 / 张尚之译

《托尔斯泰传》（1–3）　［英］阿尔麦 · 莫德著 / 徐迟译

《革命文豪高尔基》　［美］亚历山大·康恩著／韬奋编译

《鲁迅纪念特辑》　新中国文艺社／编

《回忆鲁迅先生》　萧红／著

《人民文豪鲁迅》　平心／著

《亡友鲁迅印象记》　许寿裳／著

《鲁迅思想研究》　何干之／著

《鲁迅研究》　夏征农／编

《过来的时代：鲁迅论及其他》　雪峰／著

《电影戏剧表演术》　洪深／著

《日常心理漫谈》　［美］约瑟夫·查斯特罗著／曾宝施译

《心理常识漫话》　朱智贤　杨云美／著

《读书的方法与经验》　王任叔／著

《美国黑人生活纪实》　［美］加德维尔　斯坦倍克著／董秋斯译

《初访美国》　费孝通／著

《事业与成功》　［美］马尔腾著／汪原放译

《萍踪寄语（初集）》　韬奋／著

《一生的幸福前途——〈生活周刊〉信箱选集》　生活书店／编选

《深刻的印象》　生活周刊社／编

《海外的感受》　生活书店编译所／编

ISBN 978-7-108-04587-4

9 787108 045874 >

定价：16.00元